O PRINCIPIANTE ESPÍRITA

ALLAN KARDEC

O PRINCIPIANTE ESPÍRITA

CONTENDO:

Biografia de Allan Kardec

Introdução ao conhecimento do mundo invisível pelas manifestações espíritas;

Resumo da Doutrina Espírita;

Respostas às principais objeções.

Tradução de

JULIO ABREU FILHO

Editora
Pensamento
SÃO PAULO

Copyright da edição brasileira © 1956 Editora Pensamento-Cultrix Ltda.

1ª edição 1956.

25ª reimpressão 2018.

Todos os direitos reservados. Nenhuma parte deste livro pode ser reproduzida ou usada de qualquer forma ou por qualquer meio, eletrônico ou mecânico, inclusive fotocópias, gravações ou sistema de armazenamento em banco de dados, sem permissão por escrito exceto nos casos de trechos curtos citados em resenhas críticas ou artigos de revistas.

Direitos reservados
EDITORA PENSAMENTO-CULTRIX LTDA.
Rua Dr. Mário Vicente, 368 – 04270-000 – São Paulo, SP
Fone: (11) 2066-9000 – Fax: (11) 2066-9008
http://www.editorapensamento.com.br
E-mail: atendimento@editorapensamento.com.br
Foi feito o depósito legal.

ÍNDICE

BIOGRAFIA DE ALLAN KARDEC 9

NOÇÕES DE ESPIRITISMO

    Noções Preliminares 33

    Os Espíritos 35

    Comunicação com o mundo invisível 38

    Fim providencial das manifestações 48

    Os médiuns 49

    Escolhos da mediunidade 53

    Qualidades dos médiuns 56

    Charlatanismo 60

    Identidade dos Espíritos 61

    Contradições 62

    Conseqüências do Espiritismo 63

SOLUÇÃO DE PROBLEMAS PELA DOUTRINA ESPÍRITA

    Pluralidade dos mundos 69

    A alma 70

    O homem durante a vida terrena 72

    O homem após a morte 82

BIOGRAFIA DE ALLAN KARDEC

A 3 de outubro de 1804, às dezenove horas, a casa do magistrado *Jean-Baptiste-Antoine Rivail*, na cidade de *Lyon*, *rue Sala*, 76, ouvia os primeiros vagidos de uma criança destinada a influir poderosamente nos destinos da humanidade. Naqueles dias estava em uso o calendário da Revolução, no qual os meses tinham outros nomes e começavam com a entrada do Sol nas casas do Zodíaco. Estava-se a 11 de *vindemiário*. O registro civil, feito no dia seguinte, indicava o nascimento supra de *Denizar-Hippolyte-Léon Rivail*, sendo seus pais o magistrado acima mencionado e sua esposa *Jeanne Duhamel*; assinaram como testemunhas, a pedido do médico *Pierre Radamel*, os senhores *Syriaque-Frédéric Dittmar* e *Jean-François Targe*. Remata o documento o sr. *Mathiou*, presidente do Tribunal.

Há entre os espiritistas uma certa confusão quanto ao nome do Codificador, por falta de acomodação entre o sistema francês e o nosso de citar o nome das pessoas. Para uns o menino em questão era *Léon*, para outros *Denizard* e, ainda para um terceiro grupo, *Hippolyte*. É que, de um modo geral, nós ignoramos que:

    i — na França é comum acrescentar-se ao prenome do menino o de um ou dois avós;

    ii — nas famílias nobres esse acréscimo se torna abusivo;

    iii — por vezes adiciona-se ao prenome do ascendente masculino o do padrinho;

    iv — nos documentos oficiais é praxe escrever em primeiro lugar *o nome da família* e depois *os prenomes*.

Assim, no caso vertente, o prenome é *Hippolyte*; os prenomes adicionais, *Léon* e *Denizard* e o nome de família, *Rivail*. Comumente se escreve *Hippolyte-Léon-Denizard Rivail*, enquanto que nos documentos oficiais escrever-se-ia Rivail Hippolyte--Léon-Denizard.

E, escrevendo certo, justo é se exija a pronúncia correta.

Perdoem-nos os espiritistas a exigência: é que não compreendemos não se saiba grafar e, menos ainda, pronunciar nome tão respeitável e que nos é sobremaneira caro. Seria uma falta de respeito.

Até hoje são escassos os dados biográficos daquele que mais conhecido se tornou sob o pseudônimo de *Allan Kardec*. Pouco tem sido acrescentado ao que disse o astrônomo *Camille Flammarion* à beira do túmulo que ia receber os seus despojos terrenos e à conferência do escritor *Henri Sausse*, em sua cidade natal, vinte e sete anos mais tarde.

Afirma-se que em linha paterna descende de tradicional família de juristas e, em linha materna, de teólogos ilustres, matemáticos e escritores, alguns dos quais teriam pertencido à Academia de Ciências e à Academia Francesa, pontos culminantes para homens de ciência e para homens de letras. Mas não nos estiremos por este caminho, que a elevação espiritual nem obedece às leis da genética nem às condições sociais e, sobretudo, financeiras, da família. Os grandes gênios não nasceram em berço de ouro; por vezes conheceram a miséria: *Sócrates* era filho de uma lavadeira e um carpinteiro foi o pai de *Nosso Senhor Jesus Cristo*. Via de regra, entretanto, a natureza coloca Espíritos de escol em ambiente adequado, que lhes facilite as tarefas que constituem o sentido de sua vida.

Antes, porém, de entrar no estudo do seu ambiente, vejamos a razão de ser do pseudônimo *Allan Kardec,* que viria apagar o nome de *Hippolyte-Léon-Denizard Rivail*.

Um dos princípios fundamentais do Espiritismo, na Codificação Kardeciana, é a reencarnação, isto é, o das vidas sucessivas e interdependentes. No início de seu trabalho filosófico, um Espírito revelou ao Codificador que o conhecia de remotas existências, uma das quais passada no mesmo solo da França, onde a sua individualidade tinha revestido a personalidade de um *druida*, chamado *Allan Kardec*. Sabe-se a posição social desses sacerdotes, sorteados entre a juventude da nobreza; mas, também, é sabido que os druidas proibiam a construção de templos e a representação figurada dos Deuses ou Espíritos. Porque lhe teria agradado o nome? Porque lembrasse essa fuga às exterioridades e ao culto externo? Por uma como que memória intuitiva do muito de *espiritismo* contido no *druismo*? Pela sonoridade do nome? Pela intuição da necessidade de subtrair-se ao mal-estar causado aos familiares e companheiros no mundo científico e educacional, onde vivia, com a publicação, sob a responsabilidade de seu nome verdadeiro, de princípios filosóficos fadados a abalar o velho formalismo da religião e da ciência?

É difícil dizer.

Como quer que seja, é de notar-se a coincidência entre certos princípios do *Druidismo* e a obstinação de *Allan Kardec* em subtrair o *Espiritismo* à tendência das massas menos cultas em transformá-lo numa religião. Neste particular, a concessão máxima que se pode fazer fê-la *Sir Arthur Conan Doyle*, chamando-o de *religião psíquica*, isto é, uma filosofia prática que leva a criatura para uma etapa religiosa muito superior à moral comum, desde que *"a moral é a média do comportamento do grupo social"* e aquele conduz para um limite superior, no qual, tornando-se altamente consciente, a criatura é, simultaneamente, templo, sacerdote e penitente.

Fique esta observação logo à entrada destas notas, a fim de advertir o leitor de que, até o último instante, o sr. *Allan Kardec* sustentou que o Espiritismo era *"uma filosofia científica de conseqüências religiosas, mas não uma religião"*. Certos pseudo-espiritistas pretendem negá-lo, para o que fazem um tremendo trabalho sofístico, esquecidos de que, torcendo as palavras do Codificador, aproximando afirmações distantes e díspares, até pertinentes a temas diversos, colocam-se entre as farpas do dilema: ou o sr. *Allan Kardec*, pela insegurança de conhecimentos, pela tibieza de caráter, teria falhado como *missionário da terceira revelação*, ou teriam falhado todos os Espíritos daquela plêiade ilustre, que lhe ditavam mensagens, lhe inspiravam os estudos e lhe criticavam as obras, quando não as refundiam completamente, como foi o caso de O LIVRO DOS ESPIRITOS. Em qualquer dos casos, o desfecho seria um só: a falência da doutrina.

Haverá quem possa admiti-lo?

O MEIO FÍSICO

O observador que demora o olhar sobre a carta da França, ao mesmo tempo que projeta a mente sobre a sua história, tem logo a atenção atraída para a cidade de *Lyon*. Situada na confluência do *Rhodano* e do *Saona*, é o ponto de encontro do primeiro que, atravessando o Lago *Leman*, desce revolto as montanhas do *Jura*, atravessa toda a *Sabóia* e vem unir-se às águas mansas do segundo, vindo do sul da *Lorena* e cortando o *Franco-Condado* e a região da *Borgonha*. Sua junção se dá ao pé de uma encosta abrupta do maciço das *Cévenes*, em contraste com as planícies limitadas pelo *Saona* e pelo *Ain*, afluente do *Rhodano*. Na confluência daquelas duas massas líquidas está a terceira cidade da França, originária de uma colônia fenícia ou, mais provavelmente, rhódia, — de onde o nome do grande rio, *Rhodanus*, segundo a forma latina, que não apagou o velho nome celta da região — Lugdunum — que quer dizer a colina do Sol nascente. Ao tempo da ocupação romana para aí convergiram as grandes estradas; por aí passaram ou hibernaram *Augusto, Cláudio e Cararala*. Incendiada, reconstruiu-a Nero, para que, mais tarde, foco do cristianismo, sofresse a perseguição de *Marco-Aurélio* e outra, mais terrível ainda, de *Sétimo-Severo*. Depois de suportar inúmeras vicissitudes, durante o período feudal, desde o Império de *Carlos Magno* até o fim do século XIII, tornou-se uma cidade do Império.

Foi em *Lyon* que em 1245 *Inocêncio III* excomungou a *Frederico II*, da Alemanha; que em 1274 *Gregório X* reuniu o segundo concílio ecumênico, para regulamentar a eleição dos papas e a união entre as Igrejas Grega e Latina. Durante as *guerras de religião* foi saqueada pelos protestantes em 1562 e, dez anos mais tarde, pelos católicos. Durante a Revolução Francesa a Convenção ordenou a sua destruição a tiros de canhão, mas *Collot d'Herbois* e *Fouché* apenas metralharam os seus prisioneiros.

Posteriormente os acontecimentos mais notáveis foram a insurreição operária de 1831, o *complot* de 1851, dirigido pelos republicanos da *Nova Montanha*, para não falar do movimento socialista de 1871, posterior, portanto, à morte do sr. *Allan Kardec*.

Dado este ligeiro esboço físico e histórico da grande cidade, referindo apenas aquilo que poderia falar à mente de um lionês culto, não devemos esquecer que aquelas mesmas águas, já avolumadas por outros cursos alpestres, como o *Isère* e o *Drôme*, vão banhar a cidade de *Avinhão*, tristemente célebre na história das lutas políticas que mancharam a Igreja Católica, depois de haverem tumultuado nas altas montanhas marginais, nos oferecem um símbolo de serenidade no seu curso baixo e no seu perfil de equilíbrio, antes de se lançarem, mansas, no velho *Mare Nostrum*, pouco abaixo da não menos evocadora cidade de *Arles*, que deu nome a um reino.

★

O MEIO SOCIAL

Entretanto não passemos muito por alto: focalizaremos mais de perto alguns aspectos da cidade e do meio social.

À margem direita do *Saona*, subindo pelos funiculares, alcança-se o velho Forum, *Forum Vetus*, a velha cidade romana, bairro eclesiástico, com a sua *Catedral de São João*, monumento dos séculos XII a XIV e seus belíssimos vitrais. No centro, entre os dois rios, o mais velho edifício de *Lyon* — a Igreja de *Saint-Martin d'Ainay*, construída no século XI, sobre as ruínas do *Templo de Augusto;* velhos hospitais, a parte administrativa, residências burguesas, o comércio e os bancos. Aí ainda se destaca, pela sua vetustez, a *Igreja de Saint-Nazier*, dos séculos XV e XVI; o Conselho Municipal, do século XVII; palácios, museus, faculdades, etc. À margem esquerda, na planície que se extende para leste, a Prefeitura, os bairros operários e o parque.

São célebres os seus tecidos, as suas sedas, os seus veludos estampados, assim como as suas faianças, uns e outras relembrando uma tradição legada pela arte italiana de Florença e de Veneza, da época dos Doges.

★

Nesse ambiente passou a infância o jovem *Rivail*.

Lyon era uma cidade envolta na garoa, que atenua os contornos e espiritualiza as formas, mas onde se agita uma população laboriosa e realista, prática e fria, embora não infensa à beleza que fala aos sentidos, e àquela beleza mais profunda, que as almas eleitas sentem mas não encontram expressão material. Não é difícil imaginar-se a influência, sobre o menino

13

precoce, do meio lionês e da intimidade do lar de um juiz austero, de formação severa, segundo os velhos moldes hoje evanescentes. Que motivos teriam levado o velho magistrado a mandar o filho estudar na Suíça? Falta de bons colégios na França? Idéias próprias em relação à influência clerical no ensino local? Interesse pelo sistema de *Pastalozzi?*

Talvez isto. Talvez um pouco de tudo.

O pedagogo suíço *Jean-Henri Pestalozzi,* versado em línguas, em história e em direito, se havia consagrado à economia rural. A leitura do *Emílio,* de *Rousseau,* lhe revelara a vocação; aperfeiçoou as idéias de *Rousseau,* do ângulo da pedagogia. Seu ideal foi, então, desenvolver gradualmente as faculdades humanas e organizar o ensino mútuo. Para tanto dedicou-se à educação das crianças pobres. Ensinou em várias cidades, até que lhe cederam o *Castelo* de *Yverdon. Yverdon* é uma cidadezinha do sul do Lago *Neuchatel,* onde os *Duques de Zaehringen* possuíam um célebre castelo que data do século XII. Nessa antiga cidade romana de *Eburodunum,* e em seu castelo, os duques abrigaram a *Escola de Pestalozzi* durante vinte anos — de 1805 a 1825.

Nesse ambiente de uma pequena cidade fabril, num velho castelo medieval, o menino *Rivail* fez os estudos básicos que iriam prepará-lo para uma tarefa que basta, por si só, para marcar o século — já chamado século das luzes.

★

ESTUDO E TRABALHO

Pestalozzi estimava ao jovem *Rivail* como a um filho. Teve-lhe maior intimidade, que o adolescente soube aproveitar a tal ponto que, aos quatorze anos, por vezes substituia o diretor na condução dos cursos. Aprendeu praticamente várias línguas, além do conhecimento clássico do grego e do latim. Com aquela idade diplomou-se professor. Continuando os estudos, fez o seu bacharelado quatro anos mais tarde. Por nos faltarem dados seguros não diremos, como outros biógrafos, que foi o *bacharelado em ciências e letras,* posto nos inclinemos pela afirmativa. É que o bacharelado foi instituído na França em 1808, nas faculdades de ciências e letras, como sanção de estudos secundários. Inicialmente, porém, o bacharelando era *puramente literário;* em 1830 e 1840 sofreu o sistema profundas reformas que não atingiram o nosso estudante: em 1830 já *Rivail* era médico.

Por outras palavras, não podemos garantir qual o título obtido pelo jovem *Rivail* ao fazer o seu *bachot,* como se costuma dizer na gíria estudantina. Sabe-se entretanto que o obteve, com ele entrou na escola de medicina, onde se doutorou aos vinte e quatro anos.

Enquanto fazia o curso de medicina o estudante punha em execução a experiência feita junto a *Pestalozzi,* relativamente ao ensino mútuo.

Com efeito, o acadêmico-professor lecionava Matemática, Astronomia, Química, Retórica, Anatomia Comparada e Fisiologia, além de sua sua própria língua. Parece que tirou proventos de parte de tais cursos, mas é certo que em parte os ministrou com absoluta gratuidade, consoante os princípios de seu mestre.

Em Paris fundou um *Instituto Técnico* à rua Sèvres, n.º 35, nos moldes de *Pestalozzi*. É provável que ainda não tivesse concluído o curso de medicina; sabe-se, entretanto, que teve como sócio um tio materno, jogador inveterado, que levou o Instituto à liquidação. A quota do dr. *Rivail* foi colocada em comandita na firma de uns amigos que, pouco depois, declararam falência. O jovem não desanimou: passou a fazer traduções, a preparar cursos em colégios e institutos, e ainda achava tempo para dar cursos gratuitos.

Teve tais contactos com o mundo das letras e das ciências que chegou a possuir vários diplomas de sociedades científicas e de incremento ao progresso. Não os teria obtido se não estivesse em ligação continuada e eficiente com estabelecimentos públicos oficiais ou oficializados, onde os grandes serviços prestados à sociedade eram pùblicamente reconhecidos, através de diplomas honoríficos. Entre outras distinções, possuía as seguintes:

A — no setor da direção do ensino:

i — de fundador da Sociedade de Previdência dos Diretores de Colégios e Internatos de Paris;

ii — da Sociedade de Educação Nacional (constituída por diretores de Colégios e internatos);

B — no setor do ensino propriamente dito:

i — da Sociedade para a Instrução Elementar;

    ii — da Sociedade Gramatical;
    iii — do Instituto de Línguas;

    C — no setor da divulgação científica:
    i — da Sociedade de Ciências Naturais da França;
    ii — do Instituto Histórico;
    iii — da Sociedade Francesa de Estatística Universal;

    D — no setor das aplicações práticas das ciências:
    i — da sociedade de Emulação Agrícola do Departamento do Ain;
    ii — da Sociedade de Incentivo à Indústria Nacional.

A maioria desses diplomas lhe foram conferidos entre os vinte e os trinta e um anos de idade; o último lhe veio aos quarenta e três.

Tudo isto indica uma inteligência invulgar, servida por uma vontade poderosa e um método de vida que, de certo modo, justifica aquele conceito de Augusto Comte *"o gênio é uma questão de método"*. Era um idealista, mas não um lunático; seu idealismo era orgânico e prático. O estudante de medicina e depois o médico atuava na vida prática como professor de várias matérias, não só como divulgador de conhecimentos teóricos, mas como propulsor da agricultura e da indústria, através dos aperfeiçoamentos científicos dos meios de produção, como do aperfeiçoamento moral e espiritual das criaturas.

Este aspecto de sua vida não foi suficientemente analisado por seus turiferários. Um exame percuciente revela que o seu interesse nos estudos se derramou sobre um conjunto de conhecimento selecionados — não para servirem de atavios ao Espírito — mas de verdadeiros instrumentos para a promoção do bem-estar geral, do mesmo passo que para a evolução espiritual, pelo conhecimento de si-mesmo e pelo da situação do Homem no Cosmos.

Era um altruísta na mais alta acepção do vocábulo, porque não esperava adquirir muito para dar as sobras: tinha um sentido prático da solidariedade humana — dessa solidariedade feita de companheirismo, de camaradagem fraterna, de simpatia pelo alheio esforço, de boa disposição para ajudar os outros com a própria experiência, de bom ânimo para ensinar — principalmente de graça — pois a gratuidade nivela espiritualmente as criaturas e elimina aquela barreira psicológica, algo paradoxal, que se estabelece entre o ignorante que paga e o mestre que é pago diretamente. Ele sentia as imperiosas obrigações do indivíduo para com a sociedade — visando o progresso desta e procurando servi-la e servir-se dentro daquele magnífico conceito: *"a cada um segundo as suas necessidades; de cada um conforme as suas possibilidades"*.

Por outras palavras: foi um Espírito altamente cônscio de sua função social. E a realizou magnificamente, sem estardalhaços, sereno e compenetrado. Na Índia há uma lição muito interessante para o nosso comportamento social. Ensinava *Ramakrisna* que, ao atravessar uma aldeia, um elefante fora assaltado pelos cães. Cônscio de sua superioridade, o elefante não se desviou de sua rota, não deu atenção aos latidos, não perdeu o passo hierático. Sem orgulho, apenas compenetrado de seu valor e de suas responsabilidades como factor social, o moço *Rivail* tinha um secreto sentimento de que era bem como aquele elefante, posto jamais o revelasse: agiu era bem como um mestre — ensinando.

Por isso pôde realizar a sua tarefa imensa.

★

Entre os anos de 1824 e 1849 publicou o dr. *Rivail*, entre outras, as seguintes obras:

i — Curso Prático e Teórico de Aritmética (2 volumes, segundo o método Pestalozzi);

ii — Plano para o melhoramento da Instrução Pública;

iii — Gramática Clássica da Língua Francesa;

iv — Qual o sistema de estudos mais adequado à época?

v — Manual dos exames para certificado de capacidade.

vi — Soluções racionais de perguntas e problemas de Aritmética e Geometria;

vii — Catecismo Gramatical da Língua Francesa;

viii — Programa dos Cursos ordinários de Química, Física, Astronomia e Fisiologia;

ix — Pontos para os exames na Municipalidade e na Sorbonne;

x — Instruções sobre as dificuldades ortográficas.

Na sua folha de serviços à mocidade de seu tempo está a regência das seguintes matérias, em cursos parcialmente gratuitos — repetimo-lo — onde de par com os seus conhecimentos enciclopédicos, patenteia-se o esforço em bem servir os seus semelhantes: Matemática, Física, Química, Astronomia, Retórica, Anatomia Comparada, Fisiologia e Língua Francesa. Falava corretamente inglês, alemão, holandês, espanhol e italiano e era grande conhecedor do grego e do latim.

★

MAGNETISMO

Cabe aqui destacar, em poucas linhas, um aspecto da cultura do sr. *Allan Kardec* — os seus estudos sobre magnetismo e hipnotismo, matérias que lhe foram de valioso auxílio nos estudos iniciais do Espiritismo e que não deveriam desconhecer todos quantos se aplicam a trabalhos práticos e ao manejo de médiuns.

O sr. *Allan Kardec* interessou-se pelo magnetismo ainda nos bancos acadêmicos. Naquela época a nova ciência apaixonava e dividia os estudiosos: de um lado a chamada *ciência oficial*, a lhe negar foros de cidade; do outro, homens espiritualmente emancipados, a lhe proclamar os fatos. Estes últimos constituiram uma sociedade — a Sociedade dos Magnetistas da França — mais tarde cindida em duas entidades, por divergências de interpretação dos fenômenos. O sr. *Kardec* pertencia a primeira, mas era festejado por ambas.

Torna-se aqui necessária uma ligeira digressão histórica, para que melhor se compreendam as ligações do magnetismo e do hipnotismo com o Espiritismo e não se confundam aquêles com as exibições charlatanescas a tanto por cabeça.

Sem remontar às práticas esotéricas, que são de todos os tempos e lugares, o magnetismo animal dos tempos modernos parece ter surgido com *Paracelso*, tendo sido aceito e praticado por *Burgraeve, Van Helmont*, o *Padre Kircher* e, principalmente, por *Mesmer* que, pelas alturas do ano de 1779, lhe deu grande incremento e chegou a lhe emprestar o próprio nome: *mesmerismo* era como então se chamava o magnetismo.

Mas, que vinha a ser o chamado magnetismo animal?

Pensava-se que fosse um fluido que penetrava os corpos animados, dando-lhe propriedades particulares. *Mesmes* desenvolveu essa teoria, sustentando que os corpos animados e inanimados eram submetidos à influência de um agente universal, a que chamou *fluido magnético*. Esse fluido podia acumular-se e trasnmitir-se ao homem, pelos passes e toques, e era capaz de curar certas moléstias nervosas, mas, também, podia provocá-las.

Em certos casos especiais, as pessoas submetidas à ação magnética apresentavam crises convulsivas, atitudes passionais e, até, tendências eróticas, o que levou o mundo científico à condenação do *mesmerismo* ou magnetismo prático, no interesse da moralidade pública. Isto ocorreu em 1784. Mas não paravam aí as contraditórias conclusões do relatório oficial da comissão chefiada pelo ilustre *Bailly*: ela concluía pela inexistência dos fenômenos.

Repetia-se o caso de Galileu.

Já disse alguém que as idéias são como os gases: quanto mais comprimidas, maior a sua força de expansão. Os repetidos golpes desferidos no magnetismo lhe trouxeram novos e valiosos adeptos, entre os quais *Du Potet*, o *Abade de Faria* e *Puységur*, na França. Continuaram-se os estudos na França, tornando-se evidentes os seus efeitos e a fenomenologia geral, como a sugestão, o sonambulismo provocado, as paralisias, as anestesias, etc.

Um pouco mais tarde, na Inglaterra, *Braid* demonstrou que o hipnotismo era uma realidade e determinou meios práticos para a sua aplicação. Tais processos foram muito divulgados nos Estados Unidos, graças aos trabalhos de *Grims*. Os estudos de *Braid* e *Grims* situam-se entre os anos de 1840 e 1848.

Assim, quando, mais uma vez, o magnetismo foi condenado, por volta de 1859, nas lições professadas na Salpetrière pelo ilustre *Charcot*, já o sr. *Allan Kardec* andava às voltas com os fenômenos espíritas, aos quais trouxera uma experiência de trinta e cinco anos de trato com o Magnetismo e o Hipnotismo.

Fácil é compreender-se tudo isto.

No momento assistia-se, na França, a falência das filosofias espiritualistas. A elas se opunham as correntes materialistas — o marxismo à frente — e, num termo médio, o agnosticismo da escola positivista, fundada por *Augusto Comte*.

O genial *Comte* havia dado uma nova ordenação aos conhecimentos científicos; tinha fundado uma nova ciência — a Sociologia. Sua obra, muito inteiriça, constituia a *Filosofia Positiva;* seu ponto mais fraco é a *religião* tirada de seus princípios gerais. Mas *Comte* fora repetidor da Escola Politécnica, depois examinador; dera cursos populares de Astronomia. Tudo isto lhe grangeara um certo prestígio nos meios cultos. A falta de síntese nos conhecimentos científicos deixava as classes mais altas em caótico estado mental, não sendo difícil encontrar grandes figuras *positivistas* em ciência, *materialistas* em política e *católicas* ou *protestantes* em religião.

Poucos abarcavam essas coisas em visão panorâmica; e quando os percebiam davam de ombros, justificados de seu silêncio e de sua acomodação pelo motivo de se não sentirem culpados.

★

AS MESAS GIRANTES

Estavam as coisas neste pé quando os fenômenos espíriticos, ditos das mesas girantes e falantes, iniciados "oficialmente" nos Estados Unidos, com as *Irmãs Fox* e pouco depois transplantados para a Europa, adquiriram foros de cidade. Manda a verdade, entretanto, se diga que antes mesmo de 1848 já na França, na Alemanha e na Inglaterra se haviam registrado os fenômenos de efeitos físicos e outros, inclusive os intelectuais — mesmo sem recorrer às vastas referências, posto que discretas, encontradas na obra escrita, que chegou até os nossos dias, dos melhores historiadores e poetas latinos, bem como da tradição druídica. O sr. *Allan Kardec* tratou do assunto nas páginas luminosas da REVUE SPIRITE, muito embora não o fizesse de forma exaustiva e visando estabelecer irretorquivelmente a primazia da Europa e, particularmente da França, no que se refere a acintosas manifestações de Espíritos.

Como quer que seja, o relato do que se passava com as *Irmãs Fox,* as "chantages" de que foram vítimas, a malevolência dos opositores à fenomenologia, ansiosos por manterem o prestígio, já um tanto abalado, de seu velho aliado Satã, tiveram o efeito de propaganda. De modo que na alta sociedade francesa foi uma nota requintada dos salões elegantes convidar, para a companhia de poetas, deputados, senadores, ministros, escritores, artistas, príncipes de toda a parte, inclusive grãos--duques russos, alguns Espíritos de escol, que vinham afirmar: *"Não há morte"*.

Quem eram esses Espíritos?

Vultos marcantes de todos os tempos: filósofos e poetas, generais e imperadores da Grécia e de Roma; destacadas figuras do clero medieval; escritores, poetas e artistas do renascimento; antigos reis da França. Todos eles produziram admiráveis provas de sua identidade e muitos lançaram grandes clarões sobre a parte mais nebulosa de algumas de suas ações públicas. Os poetas se exprimiam em versos perfeitos, através de sensitivos que jamais haviam perpetrado uma simples quadrinha rimada.

A moda atingiu o palácio imperial. Napoleão III solicitou de elementos experimentados que fossem ao palácio evocar Espíritos em sua presença. E manteve interessantes palestras, em presença das mais destacadas figuras do mundo político, militar e diplomático.

Entre esses salões brilhantes força é destacar o da *Senhora de Giradin*, encantadora figura de vanguarda nas letras e nas artes, e, indiscutìvelmente, uma das maiores expressões do bandeirismo espiritista na França, quiçá do mundo. Nascida no mesmo ano que o sr. *Allan Kardec, Delphine Gay* era física e espiritualmente bela. Muito cedo começou a sua produção poética, publicando seguidamente volumes entre os quais se destacam: *les Soeurs de Sainte Camille, Madeleine, Ourika, le Bonheur d'être belle, la Vision de Jeanne d'Arc*. Após uma viagem à Itália, durante a qual foi coroada no Capitólio, publicou *le Retour, Palerme, le Dernier Jour de Pompéi, Napoline* e outras impressões da península.

Aos vinte e sete anos casou-se com o *Conde Camile de Girardin*, que desfrutava invejável posição social e política, além de grande prestígio como escritor, sociólogo e dramaturgo. Casada, foi uma inspiradora da política. Escreveu vários romances e bom número de peças para teatro; entre aqueles vale destacar *le Lorgnon, le Marquis de Pontanges, les Contes d'une vieile fille à ses neveux* e, o mais notável de todos, *la Canne de M. de Balzac*, e, ainda, *la Croix-de-Berny*, este em colaboração com *Théophile Gautier, Joseph Méry* e *Jules Sandeau*, três nomes que dispensam referências; entre estas não devemos esquecer *l'École des journalistes, Judith, Cléopatre, Lady Tartufe, le Chapeau d'un horloger* e *la Joie fait peur*, peças estas pertinentes ao repertório da *Comédie Française*. Deixou ainda farta coleção de *Cartas Parisienses* e de artigos e folhetins na imprensa periódica e nos diários de Paris.

As sessões espíritas nos salões da *Senhora de Giradin* contaram com o que havia de mais fino nas letras, nas artes e na política: assistiram-nas *Balzac, Lamartine, Chateaubriand, Théophile Gautier*, para citar apenas alguns dos mais expressivos nomes das letras francesas e de renome mundial, à frente dos quais justo é colocar a figura magnífica de *Alexandre Dumas*, filho.

Pode dizer-se que a *Senhora de Girardin* preparou a receptividade nas altas esferas sociais e intelectuais da França para a obra que em breve deveria encetar o sr. *Allan Kardec*. Morreu de um câncer, em 1855.

Um desses grupos praticantes do Espiritismo nascente se deu ao trabalho de visitar o grande *Victor Hugo*, então exilado na *Ilha de Jersey*, por força de seu antagonismo ao governo monárquico da França. E o converteu aos princípios espíritos.

Entretanto — coisa notável! — entre tanta gente de alta cultura, ninguém lobrigou o alcance filosófico das batidas nas mesas e móveis e, em geral, das manifestações dos Espíritos. Só um fato impressionava: a sobrevivência do ser humano, com os seus gostos, os seus cacoetes, os seus impulsos, enfim, a sua personalidade!

A França, cognominada *a filha primogênita da Igreja*, assistia ao naufrágio da fé, resultante do choque entre a Ciência e a Religião. Dona de um mais largo e profundo conhecimento das leis da natureza, a humanidade estava preparada para passar da fé imposta a fé raciocinada, isto é, da crença para a certeza. A ciência oficial desdenhava tudo quanto pudesse, direta ou indiretamente, conduzir a um postulado da religião; em contrapartida a religião, fechada numa filosofia apriorística, verberava toda tentativa intelectual que pudesse atuar como um sopro sobre o castelo de cartas do dogmatismo.

Temor da divulgação da verdade ou intuição do seu crescente desprestígio político, em conseqüência da emancipação espiritual das criaturas?

O único homem que teve a visão da importância moral e sociológica de fenomenologia espírita foi o dr. *Rivail*. Por isso mesmo deveria ele apagar-se no mundo oficial da instrução pública, onde se fizera respeitado e querido, para ser dar a uma nova obra — a da construção de toda uma filosofia derivada — que importa? — dos golpes que os chamados mortos vibravam sobre mesas, paredes e móveis. Ia desaparecer o *cientista Rivail* para surgir o *filósofo Allan Kardec*. Era aquele renascimento espiritual, de que falava JESUS CRISTO a *Nicodemus;* era a profecia do *Nazareno* reportada por *João*, no Capítulo XIV, versículo 26, sobre aquele *"a quem o Pai enviará em meu nome"*, e que *"ensinará todas as coisas, e vos fará lembrar de tudo o que vos tenho dito"*.

Se nos adentrarmos no texto e em outras passagens correlatas, veremos que se trata de um ser despersonalizado, o Consolador, o qual figura nas versões evangélicas que nos chegaram como o *Espírito Santo*. Cabe, entretanto, notar que não se trata de uma individuação, nem da suposta terceira pessoa da Trindade católica: estamos em frente a uma expressão genérica, onde o vocábulo *santo* é apenas um adjetivo qualificativo muito respeitoso e, por isso mesmo, historicamente respeitável, posto que sem a necessária força para, com o dogma, sobrepor-se à razão.

O escolhido foi *Allan Kardec* e não o dr. *Rivail*, para significar uma individualidade eterna e não uma personalidade transitória e, ainda, para a ligar a uma etapa em que os valores espirituais eram mais expressivos do que as formas exteriores do culto.

●

O CODIFICADOR

Foi em 1854 que o sr. *Allan Kardec* tomou conhecimento das mesas girantes e falantes, através de uma conversa com o sr. *Fortier*, seu colega na Sociedade de Magnetistas. Ao ser informado de que, magnetizada, as mesas podiam mover-se e davam respostas às nossas perguntas, a resposta do sr. *Kardec* foi de absoluta descrença, desde que a mesa não possuía nervos nem cérebro, nem podia tornar-se sonâmbula.

Pouco depois um outro magnetista, o sr. *Carlotti*, lhe fez minuciosos relatos de experiência a que assistira. Em conseqüencia do que pode ele dispor-se a assistir às primeiras sessões práticas, em maio de 1855, em casa da sra. *Roger*, em presença do já citado *Fortier*, do sr. *Patier* e da sra. *Plainemaison*. Deste último cavalheiro ouviu relatos num tom diferente, frio e grave, cheio de argumentos que se acomodavam aos princípios científicos.

Surgiu daí a possibilidade de assistir a reuniões regulares, em casa da sra. *Plainemaison*, à rua Grange-Batelière, 18, ainda no mês de maio já referido.

Repetiram-se as sessões, numa das quais conheceu ele a família *Baudin*, residente à rua Rochechouart. Convidado para as sessões hebdomadárias da *família Baudin* — é o sr. *Allan Kardec* quem o diz — *"aí fiz os primeiros estudos sérios em Espiritismo, mais por observação do que por efeito de revelações"*. E prossegue: *"A essa nova ciência apliquei, como tinha feito até então, o método experimental; jamais formulei teorias preconcebidas"*. E logo mais adiante: *"Nesses fenômenos entrevi a chave do tão obscuro e controvertido problema do passado e do futuro e a solução que, durante toda a vida, tinha buscado. Numa palavra, era uma revolução completa nas idéias e nas crenças, sendo, pois, necessário proceder com circunspecção, e não com leviandade, ser positivista em vez de idealista, para não ser arrastado por ilusões"*.

Eis a evidenciação do homem de ciência.

O sr. *Allan Kardec* vira nessas manifestações uma prova da existência da alma e de sua sobrevivência ao transe da morte. Mas, também, percebera que cada Espírito possuía um grau de conhecimento e de moralidade, pelo que esse mundo invisível, que nos envolve, oferecia uma gradação infinita. Estudá-los, classificá-los e explicá-los seria uma tarefa hercúlea e o sr. *Allan Kardec* a teria abandonado se não fora a insistência de alguns amigos dedicados, que desde algum tempo se davam àquelas investigações. Entre esses amigos cabe uma referência particular ao sr. *Carlotti*, já citado; ao editor *Didier*, médium e ao seu filho, também médium; ao lexicógrafo *Antoine-Léandre Sardou* e seu filho, o médico, escritor e dramaturgo *Victorien Sardou*, também médium, que prestou relevantes serviços à doutrina, no papel de intérprete dos Espíritos que ofereciam minuciosas descrições e belíssimos desenhos de outros planetas, muito embora o dr. *Sardou* fosse a negação para o desenho; o sr. *René Taillandier* membro da Academia de Ciências e outros. Desde algum tempo esses senhores faziam sessões e possuíam *cinqüenta cadernos de comunicações*.

Graças a esses amigos, o sr. *Allan Kardec* tomou desse material, classificou as mensagens, eliminou as repetições ociosas; anotou circunstanciadamente as falhas, as dúvidas e as lacunas, para futuros esclarecimentos.

Teve o cuidado de ouvir outros Espíritos, através de outros médiuns, que não os da casa do sr. *Roustan* — o qual não deve ser confundido com o sr. *Jean-Baptiste Roustaing* — onde lhe fora de poderoso auxílio a mediunidade da *senhorinha Japhet*. Em conseqüência — fato raríssimo e de notável beleza! — ao apresentar aos Espíritos a forma definitiva da obra fundamental, estes lhe fizeram grandes objeções. É que o sr. *Allan Kardec* apresentava o Espiritismo como uma religião nova, com o que não concordaram os seus conselheiros espirituais. Teve ele a honestidade de aceitar a crítica justa e refundir completamente a obra, cuja primeira edição apareceu a 18 de abril de 1857. Daí por diante jamais o sr. *Allan Kardec* deixou de dizer que o Espiritismo era uma ciência ou uma filosofia científica — porque estabelecida sobre a base dos fatos — tendo conseqüências religiosas, mas nunca uma religião. Tal ponto de vista ficou muito bem desenvolvido no seu canto de cisne, isto é, a última conferência por ele pronunciada cinco meses antes de desencarnar-se, e que se acha na íntegra no fascículo de novembro de 1868 da REVUE SPIRITE.

O êxito dessa obra — O LIVRO DOS ESPÍRITOS — cujo nome bem exprime a sua origem, e sob o qual a sua autoria apenas aparece como *"recolhidos e ordenados por Allan Kardec"*, o levaram a pensar na propaganda da doutrina. Mas achava-se sozinho para tal empreendimento. Contudo, aconselhado pelos Espíritos em meados de novembro de 1857, a 1.º de janeiro de 1858 lança a REVUE SPIRITE, pequena revista de 32 páginas em média, destinada não só à propaganda mas — e principalmente — à provocação da opinião pública e ao estudo da fenomenologia espírita e à discussão das hipóteses provisórias, até que, bem verificados os fatos, se lhes pudesse dar uma explicação científica e uma posição no quadro geral da filosofia espírita.

Lamentavelmente em nossa terra ainda não foi devidamente apreciada a coleção da *Revista Espírita*, que o sr. *Allan Kardec* escreveu por assim dizer sozinho, durante onze anos e quatro meses, num total de cerca de 4.500 páginas — rico manancial de fatos bem controlados e de ensinamentos para os dirigentes de trabalhos práticos, para os médiuns e para os espiritistas em geral.

O sr. *Allan Kardec* sentiu a necessidade de manter um grupo de estudo prático e contactos com outros grupos, da França e do exterior.

Em conseqüência, seus estudos e observações foram determinando ligeiras alterações em O LIVRO DOS ESPÍRITOS, assim como pequenas adições, até que na 22.ª edição a obra tomou um caráter definido, que é o que hoje se apresenta. Dessa edição nós nos servimos para a tradução feita para a coleção lançada pela editora *Pensamento*.

Era o LIVRO DOS ESPÍRITOS uma exposição geral da filosofia espírita. Outras obras deviam seguir-se. Trabalhava o sr. *Allan Kardec* na *Revista Espírita*, cujos fascículos mensais apareciam com toda a regularidade; no campo experimental dirigia sessões onde eram obtidas respostas às suas perguntas, organizadas de plano, de par com mensagens espontâneas, que viriam servir para volumes futuros. Paralelamente, grupos de outras cidades e do estrangeiro lhe remetiam copioso material ditado pelos Espíritos, que ele ia arquivando, depois de convenientemente estudado e classificado.

Ainda achou tempo para lançar, em julho de 1859, um pequeno volume com a doutrina condensada, sob o título O QUE É O ESPIRITISMO? Este interessante opúsculo teve sucessivas edições, podendo assegurar-se que em 1868 já estava na oitava. Era um livrinho destinado a dar um conhecimento perfunctório, mas suficiente, às pessoas jejunas que, se se tomassem de interesse pelo assunto, poderiam então passar a obras de mais fôlego.

Em 1861, logo em janeiro, a casa Dider & Cia. lança o seu segundo livro básico — O LIVRO DOS MÉDIUNS — onde temos um verdadeiro tratado clássico, indispensável a médiuns e dirigentes, a técnica do manejo da mediunidade.

Em 1862 lançou duas pequenas brochuras de propaganda doutrinária, posteriormente abolidas, à vista da larga aceitação da *Revista Espírita*. Eram elas O ESPIRITISMO NA SUA EXPRESSÃO MAIS SIMPLES E REFUTAÇÃO ÀS CRÍTICAS AO ESPIRITISMO.

Com um volume encerrando a filosofia da Doutrina Espírita e outro a técnica para a utilização dessa nova ciência, em breve a trilogia se completava pelo estudo da parte moral. Esse terceiro livro fundamental teve a sua primeira edição em abril de 1864, sob o nome de IMITAÇÃO DO EVANGELHO SEGUNDO O ESPIRITISMO. Refundindo em nova edição, que lhe deu caráter definitivo, o nome primitivo foi substituído pelo atual — O EVANGELHO SEGUNDO O ESPIRITISMO.

Outro seria o conceito que os espiritistas formam da doutrina se tivessem estudado atentamente as primeiras linhas, de notável significação, que abrem a sua *Introdução*.

Vale a pena transcrevê-las, porque em geral elas são lidas, sem meditação, apenas uma vez. Dizem assim:

"A matéria contida nos Evangelhos pode ser dividida em cinco partes: Os atos ordinários da vida de Cristo; os milagres; as profecias; as palavras que serviram para o estabelecimento dos dogmas da Igreja; e o ensino moral. As quatro primeiras têm sido objeto de controvérsias; mas a última têm subsistido inatacável. A própria incredulidade inclina-se ante esse código divino, terreno onde podem encontrar-se todos os cultos, estandarte sob que podem acolher-se todas as crenças, porque jamais foi objeto de disputas religiosas, sempre e por toda parte suscitadas pelos dogmas. Aliás, se as seitas a houvessem discutido, aí teriam encontrado sua própria condenação, porque a maioria têm considerado mais a parte mística que a parte moral, que exige a reforma de si mesmo. Principalmente para os homens, é uma regra de conduta, que abraça todas as circunstâncias da vida, pública ou privada, o princípio de todas as relações sociais, baseadas na mais rigorosa justiça: enfim e sobretudo, o caminho infalível da feli-

cidade vindoura, o elemento que descerra o véu que cobre a vida futura. Esta parte constitui o objeto exclusivo da presente obra."

Eis aí, numa clareza meridiana, não apenas o ponto de vista do sr. *Allan Kardec* — mas o dos altos Espíritos que lhe ditaram a doutrina. Aí estão nitidamente separados os textos dos Evangelhos em cinco partes: a principal — referente ao ensino moral — tratada nesse terceiro volume; duas outras, a saber, *os milagres* e *as profecias,* que iriam constituir o objeto de A GÊNESE; *as palavras que serviriam para o estabelecimento dos dogmas da Igreja,* que iriam fornecer tema para O CÉU E O INFERNO e, possivelmente, para outras obras, se ele tivesse tido vida mais longa, para concluir o seu plano de trabalho.

Assim, em começo de agosto de 1865 as livrarias exibiam O CÉU E O INFERNO ou A JUSTIÇA DIVINA SEGUNDO O ESPIRITISMO, magnífico estudo em que se explica o simbolismo desses supostos lugares de ventura e de sofrimento de um ponto de vista racional, positivo e conforme a suprema justiça, que é um dos mais nobres atributos da Divindade.

E já a 6 de janeiro de 1868 aparece A GÊNESE, OS MILAGRES E AS PREDIÇÕES SEGUNDO O ESPIRITISMO. Como se vê pelo título, a obra não só restabelece a verdade sobre a cosmogonia cristã, baseada nos princípios da ciência, como encara a teoria católica do milagre como exceção das leis da natureza, mostrando, do ângulo espiritista, que tais leis não comportam uma derrogação; no que se refere as predições ou profecias, estuda o fenômeno sob a luz da mediunidade, tirando-lhe, assim, qualquer veleidade de mistério e de milagre. Este volume compendia, até certo ponto, os três primeiros livros básicos, podendo, por isso mesmo, ser considerado como a melhor obra do Codificador.

É certo que a crítica moderna lhe faz restrições um tanto apressadamente, pelo fato de, quer o Codificador, quer os Espíritos que lhe deram algumas mensagens, terem usado uma linguagem hoje superada, à vista dos mesmos progressos da ciência. Mas os Espíritos estavam certos, de vez que, falando aos homens, não poderiam usar de explicações baseadas em teorias que só muito mais tarde deveriam estabelecer-se, à luz de novos conhecimentos. E aos homens, que não aos Espíritos, é que cabem tais descobertas. O mais que se poderia fazer no particular seria uma edição com o texto primitivo, mas largamente comentado, que possibilitasse às pessoas de cultura mediana transportar-se de uma linguagem científica e de um sistema expositivo velhos de um século, para o sistema da era atômica. Isto, porém, requer uma grande bagagem de conhecimentos, principalmente no campo da Física, da Geologia, da Mecânica Celeste e da Biologia, principalmente da Biologia Pré-histórica, além de uma bagagem maior de respeito e de compreensão pela obra do sr. *Allan Kardec,* o que infelizmente nem sempre tem havido. Já temos ouvido de alguns estudiosos apressados a manifestação do desejo de que fosse atualizada a obra kardeciana. Consideramos isto um perigo, máxime porque não sabemos até onde pode chegar a febre de modernização, com o risco de alterar a compreensão kardeciana da Doutrina dos Espíritos.

Ao em vez disso fora preferível que, em separado, se fizesse, a exemplo do que aconteceu com tantos pensadores de renome, a apreciação global de sua obra, sob o aspecto filosófico e sociológico. Então em o PENSAMENTO VIVO DE KARDEC seriam apreciadas as linhas gerais da Doutrina dos Espíritos, os critérios científicos que presidiram à Codificação, a Filosofia nela contida, a sua atitude para com as religiões dogmáticas — e não contra as religiões em geral, como erroneamente muitos a interpretam, a filosofia penal espiritista e, principalmente, a sociologia espírita, que ofereceria as linhas mestras de um programa político que, dentro dos princípios cardiais do ensino de JESUS CRISTO, realizaria a verdadeira democracia, sem lutas de classe, sem antagonismos raciais ou religiosos. Porque — nunca é demais lembrá-lo — dentro do ponto de vista espiritualista, se a vontade de Deus é onipotente, aqueles mesmos aspectos das religiões que para nós se acham superados, coexistem em nossa sociedade e em nossos dias porque ainda têm uma mensagem a dizer a uma parcela da humanidade não preparada para receber mensagem mais elevada.

Parece-nos que o Espírito do sr. *Allan Kardec* está a espera de que alguém realize essa tarefa — que a ele não poderia caber — principalmente porque ela necessitava de tempo para que se pudesse avaliar os frutos produzidos pela doutrina e aqueles que ela ainda pode dar.

★

O sr. *Allan Kardec* tinha vindo ja maduro para os trabalhos da Doutrina dos Espíritos. Contava cinqüenta e um anos e era portador de uma lesão grave no coração. Trabalhara intensamente desde mocinho. Os Espíritos lhe recomendavam certa moderação, que ele não se podia permitir porque, olhando em seu redor não via companheiros que enxergassem as coisas do seu mesmo ponto de vista. Tanto assim que através de sua elegância espiritual por mais de uma vez teve que publicar na REVISTA ESPIRITA resumos de sessões da *Sociedade Parisiense de Estudos Espíritas* ou discursos-relatórios de sua gestão, que terminavam com um pedido de sua substituição. Sente-se aí que alguns diretores desejam imprimir uma orientação diversa à sociedade e, conseqüentemente, à marcha do Espiritismo. Nesses discursos relatórios o sr. *Kardec* não só justificava a sua orientação, inspirada pelos Espíritos, como demonstrava a inviabilidade dos planos dos que lhe eram adversos.

Felizmente o bom-senso triunfava.

Mas é de convir que uma luta continuada de cerca de quatorze anos contra forças externas e, também, contra os que agiam internamente na Sociedade deveriam extenuá-lo.

Sua última luta foi após a publicação de A GÊNESE, OS MILAGRES E AS PREDIÇÕES SEGUNDO O ESPIRITISMO.

Em 1869 tratou de reconstituir a *Sociedade Parisiense de Estudos Espíritas* sob novos moldes, que permitissem manter uma livraria espírita, sustentar a publicação da REVISTA ESPIRITA e a reedição das suas obras, já citadas. Então ele residia à rua Sant'Ana 25, Galeria Sant'Ana e pretendia mudar-se a 1.º de abril de 1869 para a Avenue Ségur, onde anos antes havia comprado um terreno e estava concluindo a construção de seis casinhas destinadas, após a sua morte, para asilo de velhos espíritas. A livraria estava sendo instalada à rua Lille n.º 7, e sua inauguração deveria dar-se a 1.º de abril.

Sua casa estava completamente desarrumada, em ablativos de mudança, a sala em desordem, cheia de pacotes que iam sendo transportados quando, ao entregar um pacote da REVISTA ESPIRITA, o Codificador caiu fulminado, pela ruptura de um aneurisma da aorta, na véspera de sua instalação em novo e definitivo endereço e da inauguração da livraria, isto é, a 31 de março de 1869, quando ele contava 65 anos de idade.

Mesmo assim, a livraria foi inaugurada no dia seguinte. Foi opinião de sua viúva e dos amigos mais íntimos que esse ato representava a execução de sua última vontade.

Foi sepultado no cemitério do *Père Lachaise,* onde os discípulos e amigos fizeram erigir um modesto mausoléu.

O sr. *Allan Kardec* não deixou descendência. Casara-se em Paris, a 6 de fevereiro de 1832, portanto aos 28 anos de idade, com a Professora Amélie Grabrielle Boudet, nascida a 23 de novembro de 1795, portanto nove anos mais velha do que ele, muito embora não o parecesse. Era de família rica.

Ela continuou a auxiliar os trabalhos da livraria, zelando pelo patrimônio espiritual de seu esposo. Faleceu a 21 de janeiro de 1883, aos oitenta e nove anos de idade.

*

O sr. *Allan Kardec* deixou muita coisa inédita, mas também deixou um plano de trabalho, conforme ficamos sabendo pelo que, posteriormente, se publicou num volume de OBRAS PÓSTUMAS.

Nesse volume há uma ligeira biografia do Codificador, que foi publicada na REVISTA ESPÍRITA de maio de 1869 e o célebre discurso proferido pelo astrônomo *Camille Flammarion* à beira de seu túmulo.

Entretanto a leitura do volume nos deixa a impressão de que muita coisa ficaria ainda desconhecida do público. O próprio título do livro, no plural, nos deixa supor que outros volumes iriam aparecer.

Por que não vieram?

Mistério.

Há alguns anos, antes da segunda grande guerra, ilustre confrade nosso esteve durante alguns anos em Paris e teve oportunidade de manusear muitos originais inéditos, deixados pelo sr. *Allan Kardec,* na *Sociedade Parisiense de Estudos Espíritas,* chegando mesmo a tomar alguns apontamentos. Acontece, entretanto, que se arrastava no Forum parisiense uma velha demanda entre parentes da sra. *Amélie Boudet, Viúva Allan Kardec* e a *Sociedade Parisiense de Estudos Espíritas.* Queriam aqueles a posse dos escritos inéditos do sr. *Allan Kardec.*

Como os reclamantes eram confessadamente católicos, não era de esperar que os quisessem publicar. O que é que ambicionavam? Fazer um bom negócio vendendo raridades?

31

Não se pode afirmá-lo.

O que se sabe é que esse material está desaparecido. Segundo uns, destruído pelos alemães, quando invadiram a França nesta segunda Grande Guerra; segundo outros, destruído pelos próprios colaterais da *Viúva Allan Kardec*.

Para a maioria dos Espíritos uma boa parte do trabalho deixado pelo Codificador continua desconhecida: são os doze volumes que encerram a REVISTA ESPÍRITA escrita quase que exclusivamente por ele. Tais volumes são hoje raríssimos.

Tentamos traduzi-los e chegamos a lançar dois volumes. Na Argentina houve igual tentativa e não chegaram a concluir nem o primeiro. Conhecerá um dia a massa espírita do Brasil essa preciosidade?

Esperemos.

JULIO ABREU FILHO

São Paulo, dezembro de 1955.

NOÇÕES DE ESPIRITISMO

Noções preliminares

1. É engano pensar que, para se convencerem, basta aos incrédulos o testemunho dos fenômenos extraordinários. Aqueles que não admitem a existência da alma, ou Espírito no homem, também não o admitem fora do homem. Assim, negam a causa e, em conseqüência, negam os efeitos. Via de regra têm uma idéia preconcebida e um propósito negativo, que impossibilita a observação exata e imparcial. Com isso levantam problemas e objeções que não podem ser respondidas de modo completo porque cada uma delas exigiria como que um curso, em que as coisas fossem expostas desde o princípio.

Como essas objeções derivam, em grande parte, do desconhecimento das causas dos fenômenos e das condições em que os mesmos se verificam, um estudo prévio teria a vantagem de as eliminar.

2. Imaginam os desconhecedores do Espiritismo que os fenômenos espíritas podem ser produzidos do mesmo modo que as experiências de Física ou de Química. Por isso pretendem submetê-los à sua vontade e se recusam colocar-se nas condições exigidas para poder observá-los.

Como, de início, não admitem a existência dos Espíritos e a sua intervenção, assim desconhecendo a sua natureza e o seu modo de agir, essas pessoas se comportam como se lidassem com a matéria bruta. E porque não conseguem aquilo, concluem que não há Espíritos. Entretanto, se se colocassem em ponto de vista diversos, compreenderiam que os Espíritos não passam de almas dos homens; que todos nós, após a morte, seremos Espíritos; e que, então, não teremos disposição para servir de joguete e satisfazer a fantasia dos curiosos.

3. Mesmo quando certos fenômenos possam ser provocados, não se acham, de modo algum, à disposição de ninguém, por isso que provêm de inteligências livres. Quem se dissesse capaz de os obter sempre que quisesse apenas provaria ignorância ou má-fé.

Há que esperar, para os colher de passagem. E, muitas vezes, quando menos se espera é que se apresentam os fatos mais interessantes e convincentes.

Nisto, como em tudo, os que desejam seriamente instruir-se devem ter paciência e perseverança e se colocar nas condições adequadas. Sem isto melhor será não cogitar do assunto.

4. As reuniões que visam as manifestações espíritas nem sempre se acham em condições adequadas à obtenção de resultados satisfatórios, ou a afirmar convicções. É forçoso, mesmo, convir que por vezes os incrédulos saem menos convencidos do que entraram e lançam em rosto dos que lhes falaram do caráter sério do Espiritismo as coisas ridículas que testemunharam. É verdade que neste particular não são mais lógicos do que aquele que pretendesse julgar uma arte pelas primeiras demonstrações de um aprendiz, ou uma pessoa pela sua caricatura ou, ainda, uma tragédia por sua paróquia.

Também o Espiritismo tem os seus aprendizes. E quem quiser informar-se, não deve buscar os ensinos numa fonte única, porque somente o exame comparado pode permitir se firme uma opinião.

5. Têm as reuniões frívolas o grande inconveniente de dar aos novatos, que as assistem, uma falsa idéia do caráter do Espiritismo; e os que só hajam freqüentado reuniões de tal espécie não podem levar a sério uma coisa que aos seus olhos é tratada com somenos importância pelos que se dizem seus adeptos. Ensinar-lhes-á um estudo prévio a avaliar o alcance daquilo que vêem e distinguir entre o bom e o mau.

6. Idêntico raciocínio se aplica aos que julgam o Espiritismo pelo que dizem algumas obras esquisitas, que o apresentam de modo ridículo e incompleto.

Não pode o Espiritismo sério responder pelos que mal o compreendem, ou o praticam em desacordo com os seus preceitos, do mesmo modo que não responde a Poesia pelos que fazem versos maus.

Deploram a existência de tais obras, prejudiciais à verdadeira ciência. Na verdade seria preferível que só as houvesse boas. Entretanto o maior mal está em que não se dêem ao trabalho de as estudar todas.

Aliás, todas as artes, como todas as ciências, estão no mesmo caso. Não aparecem tratados cheios de erros e de absurdos sobre as coisas mais sérias? Por que, no particular seria o Espiritismo privilegiado, principalmente em seu início?

Se os que o criticam não julgassem pelas aparências, saberiam aquilo que ele admite e aquilo que ele rejeita e não o responsabilizariam por aquilo que ele repele em nome da razão e da experiência.

OS ESPÍRITOS

7. Os Espíritos não constituem, como supõem alguns, uma classe à parte na criação: eles são as almas dos que viveram na Terra e em outros mundos, mas despojadas de seu invólucro corporal.

Os que admitem que a alma sobreviva ao corpo admitem, por isso mesmo, a existência dos Espíritos. Negá-los, importa negar a alma.

8. Em geral se faz uma idéia muito errada do estado dos Espíritos. Não são seres vagos e indefinidos, como muitos pensam, nem chamas semelhantes aos fogos-fátuos ou fantasmas tais quais os descrevem os contos de almas do outro mundo.

São seres semelhantes a nós, com um corpo como o nosso, apenas fluídico e, normalmente, invisível.

9. Quando unida ao corpo, durante a vida, tem a alma um envoltório duplo: um pesado, grosseiro e destrutível — o corpo; outro leve, fluídico e indestrutível — o *perispírito*.

10. Assim, há no homem três elementos essenciais:

I — a *alma* ou *Espírito*, princípio inteligente, no qual residem o pensamento, a vontade e o senso moral;

II — o *corpo,* envoltório material, que põe o Espírito em relação com o mundo exterior;

III — o *perispírito*, envoltório fluídico, leve, imponderável, que serve de ligação e de intermediário entre o Espírito e o corpo.

11. Quando o envoltório exterior se acha usado e não pode mais funcionar, cai; o Espírito o abandona, assim como a noz se despe da casca, a árvore da cortiça, a serpente da pele; numa palavra, do mesmo modo que deixamos uma roupa que não nos serve mais. A isto chamamos *morte*.

12. A morte é somente a destruição do envoltório corporal, abandonado pela alma, como a borboleta abandona a crisálida. Mas o Espírito conserva o corpo fluídico, ou perispírito.

13. A morte do corpo liberta o Espírito do laço que o prendia à Terra e lhe causava sofrimento. Liberto desse fardo, só lhe resta o corpo etéreo, que lhe permite percorrer os espaços e vencer distâncias com a rapidez do pensamento.

14. Alma, perespírito e corpo unidos constituem o *homem;* alma e perspírito separados do corpo, constituem o ser que chamamos *espírito*.

OBSERVAÇÃO — Assim, é a alma um ser simples, o Espírito um ser *duplo* e o homem um ser *triplo*. Seria mais preciso reservar o vocábulo *alma* para designar o princípio inteligente; *espírito* para o semimaterial, constituído dêsse princípio e do corpo fluídico. Como, porém, não é possível conceber o princípio inteligente isolado da matéria, nem o perispírito sem que esteja animado pelo princípio inteligente, *alma* e *espírito* são, em geral, empregados indistintamente: é a figura que consiste em tomar a parte pelo todo, da mesma maneira por que se diz que uma cidade é habitada por tantas almas, uma vila constituída de tantos fogos. Entretanto filosoficamente é essencial que se faça a diferença.

15. Revestidos de corpos materiais, os Espíritos constituem a Humanidade ou mundo corpóreo visível; despojados desses corpos, constituem o mundo espiritual ou invisível; este enche o espaço. Vivemos em seu meio, sem disso nos apercebermos, assim como vivemos no mundo dos infinitamente pequenos, do qual não suspeitávamos antes que tivesse sido inventado o microscópio.

16. Assim, os Espíritos não são seres abstratos, vagos e indefinidos, mas concretos e circunscritos: só lhes falta a faculdade de serem vistos, para que sejam semelhantes aos homens. Disto decorre que, se de momento fosse levantado o véu que no-los oculta, constituiriam eles uma população em redor de nós.

17. Possuem todas as percepções que tinham na Terra, mas em grau mais alto, pois suas faculdades não se acham amortecidas pela matéria; têm sensações que desconhecemos, vêem e ouvem coisas que os nossos limitados sentidos nem vêem, nem ouvem.

Para eles não há obscuridade, salvo para os que, por castigo, se acham em trevas temporárias.

Todos os nossos pensamentos neles repercutem: lêem-nos como num livro aberto. Assim, aquilo que lhes poderíamos esconder durante a vida terrena, não mais o poderemos após a sua desencarnação [1].

18. Os Espíritos se acham em toda parte, ao nosso lado, acotovelando-nos e nos observando incessantemente. Por sua constante presença em nosso meio são agentes de vários fenômenos, representam papel importante no mundo moral e, até certo ponto, no mundo físico. Constituem, se assim podemos dizer, uma das forças da Natureza.

19. Admitida a sobrevivência da alma ou Espírito, é racional admitir que continuem as suas afeições. Sem isto as almas dos nossos parentes e amigos estariam totalmente perdidas para nós depois da morte. E como os Espíritos podem ir a toda parte, é também racional admitir que os que nos amaram durante a vida terrena ainda nos amem depois de mortos, venham até junto de nós e se sirvam dos meios encontrados à sua disposição. Isto é confirmado pela experiência.

Realmente, prova a experiência que os Espíritos conservam as afeições sérias que tinham na Terra, alegram-se em se aproximarem dos que amaram, sobretudo quando atraídos pelos sentimentos afetuosos, ao passo que revelam indiferença pelos que se lhes mostram indiferentes.

20. O fim do Espiritismo é demonstrar e estudar a manifestação dos Espíritos, as suas faculdades, a sua situação feliz ou infeliz, o seu porvir. Numa palavra, a sua finalidade é o conhecimento do mundo espiritual.

Evidenciadas essas manifestações, conduzem à prova irrefragável da existência da alma, da sua sobrevivência ao corpo, da sua individualidade após a morte, isto é, da vida futura. Assim,

---

[1] Vide O LIVRO DOS ESPÍRITOS, n.º 237.

é ele a negação das doutrinas materialistas, não só mediante o raciocínio, mas, e principalmente, pelos fatos.

21. Uma idéia muito generalizada entre os que desconhecem o Espiritismo é supor que, pelo simples fato de estarem despreendidos da matéria, os Espíritos tudo devem saber e estar de posse da sabedoria suprema. É um erro grave. Não passando de almas dos homens, os Espíritos não adquirem a perfeição ao deixar o envoltório terreno: seu progresso só se faz paulatinamente, à medida que se despojam de suas imperfeições e conquistam os conhecimentos que lhes faltam.

Admitir que o Espírito de um selvagem ou de um criminoso repentinamente se tornasse sábio e virtuoso seria tão ilógico quanto seria contrário à justiça de Deus admitir que continuasse eternamente na inferioridade.

Há homens em todas as gradações do saber e da ignorância, da bondade e da malvadez. O mesmo se dá com os Espíritos. Alguns destes são apenas frivolos e brincalhões; outros, mentirosos, fraudulentos, hipócritas, vingativos e maus; outros, ao contrário, possuem as mais sublimes virtudes e o saber em medida desconhecida na Terra.

Essa diversidade na situação dos Espíritos é um dos mais importantes pontos a considerar, pois que explica a natureza, boa ou má, das comunicações que se recebem. E todo cuidado deve ser posto em distingui-las [2].

Comunicação com o mundo invisível

22. Desde que sejam admitidas a existência, a sobrevivência e a individualidade da alma, reduz-se o Espiritismo a uma questão principal: *"Serão possíveis as comunicações entre as almas e os homens"?*

A experiência demonstrou tal possibilidade. Estabelecido o fato das relações entre o mundo visível e o invisível, conhecidos a natureza, o princípio e a maneira dessas relações, abriu-se novo campo à observação e foi encontrada a chave de inúmeros problemas. Eliminando a dúvida sobre o futuro, é o Espiritismo um poderoso elemento de moralização.

---

[2] Vide O LIVRO DOS ESPÍRITOS, n.º 100, *Escala Espírita*.
— O LIVRO DOS MÉDIUNS, cap. XXIV.

23. A idéia falsa que se tem do estado da alma após a morte é que faz brotar na mente de muitos a dúvida sobre a possibilidade das comunicações de além-túmulo. Imaginam-na como um sopro, um vapor ou uma coisa vaga, só admissível ao pensamento e que se evapora e se esvai, não se sabe para onde, mas, talvez, para tão longe que não compreendem possa voltar à Terra.

Se, entretanto, a considerarmos ligada a um corpo fluídico semimaterial, constituindo, assim, um ser concreto e individual, suas relações com os homens não serão incompatíveis com a razão.

24. Vivendo o mundo visível de permeio com o mundo invisível, em permanente contacto, origina uma contínua reação de um sôbre o outro. Disso decorre que desde que houve homens, também houve Espíritos e se estes podem manifestar-se, devem tê-lo feito em todos os tempos e entre todos os povos.

Entretanto, as manifestações dos Espíritos tiveram enorme desenvolvimento nos últimos tempos e adquiriram um cunho de maior autenticidade, porque estava nos desígnios de Deus pôr termo à incredulidade e ao materialismo, por meio de provas evidentes, permitindo aos que deixaram a Terra que viessem demonstrar a sua existência, revelando-nos a sua situação feliz ou infeliz.

25. Podem as relações entre o mundo visível e o invisível ser ocultas ou patentes, espontâneas ou provocadas. Atuam os Espíritos de modo oculto sobre os homens sugerindo-lhes idéias, e os influenciando de modo acintoso, por meio de efeitos registrados pelos sentidos.

As manifestações espontâneas ocorrem inopinadamente, de improviso. Freqüentemente se dão entre pessoas inteiramente estranhas às cogitações espíritas as quais, por isso mesmo, não tendo meios de as explicar, as atribuem a causas sobrenaturais. As provocadas dão-se por influência de certas pessoas dotadas de faculdades especiais, e designadas pelo nome de *médiuns* [3].

---

[3] A voz *médium* em francês foi criada em 1856, com o sentido usado no Espiritismo; em inglês foi criada por Swedenborg, no fim da primeira metade do século XVIII. Em ambas essas línguas foi mantida a grafia latina (*médium*), que é forma neutra, tanto se derive do substantivo *medium, medii*, quanto do adjetivo de primeira classe *medius, medium*. Como

26. Os Espíritos podem manifestar-se por várias maneiras: pela vista, pela audição, pelo tacto, fazendo ruídos ou movimento de corpos, pela escrita, pelo desenho, pela música, etc.

27. Às vezes se manifestam espontaneamente, por meio de pancadas e ruídos. É o meio que muito freqüentemente empregam para indicar a sua presença e chamar a atenção como fazemos nós ao bater a uma porta, para dar aviso de nossa presença.

Alguns não se limitam a ruídos leves: fazem uma bulha semelhante a de louça que cai e se parte em pedaços, de portas que se abrem e se fecham com estrondo, de móveis atirados ao chão; chegam, até, a produzir grande perturbação e verdadeiros estragos [4].

28. O perispírito é matéria etérea, posto que invisível no estado normal.

Em alguns casos pode o Espírito submeter-se a uma espécie de modificação molecular, assim se tornando visível e, até, tangível. É assim que se produzem as aparições, fenômenos que não são mais admiráveis do que o do vapor que, invisível quando muito rarefeito, torna-se visível pela condensação.

Quando se tornam visíveis quase sempre os Espíritos se apresentam com a aparência que tinham em vida, tornando-se, assim, reconhecíveis.

---

as demais línguas, a nossa consagrou a mesma grafia latina. Desde, porém, que não há gênero neutro em português, os dicionários atribuem-lhe o gênero masculino; mas é, visivelmente, um vocábulo epiceno. Assim, quer se trate de intermediário masculino, quer feminino, penso que se deve dizer, invariavelmente o *médium, um médium,* como por exemplo: *João é bom médium; Dona Maria é um bom médium.* E não: *ela é uma boa médium,* e, muito menos ainda, *ela é uma boa média.*

É verdade que Larousse deriva a forma francesa do masculino latino *medius.* Como, porém, explicar que, contrariando o espírito daquela língua, fôssem buscar uma terminação invulgar e tipicamente estranha? Talvez um cochilo de Homero. N. do T.

[4] Vide *Revista Espírita,* 1.º vol.: *O Espírito batedor de Bergzabern.* — pág. 129-157-192. Ibidem: *O Espírito batedor de Dibbelsdorf* — pág. 232. Edipo, editôra. Ainda: *Revue Spirite,* 3.º vol.: *Le boulanger de Diepper* — pág. 76; *Le fabricant de Saint-Pétersburg* — pág. 115; *Le chiffonier de la rue das Noyers* — pág. 236.

29. A visão permanente e geral dos Espíritos é muito rara; mas as aparições isoladas são bastante freqüentes, sobretudo no momento da morte. Quando deixa o corpo, parece que o Espírito tem pressa de rever parentes e amigos, como que para os avisar de que não mais está na Terra, mas que vive ainda.

Se passarmos em revista as nossas recordações, verificaremos quantos casos verídicos dessa ordem ocorreram conosco, sem que os soubéssemos explicar adequadamente — e não só à noite, durante o sono, mas de dia, na mais perfeita vigília.

Antigamente esses fatos eram tidos como sobrenaturais e maravilhosos e atribuídos à magia e à feitiçaria. Hoje os incrédulos os consideram como produtos da imaginação. Mas desde que a ciência espírita nos deu os elementos para os explicar, ficamos sabendo como eles se produzem e, ainda, que pertencem à classe dos fenômenos naturais.

30. Em vida, é por meio do perispírito que o Espírito atua sobre o corpo; é ainda por esse fluido que ele se manifesta, agindo sobre a matéria inerte, produzindo ruídos, movendo mesas e levantando, derrubando ou transportando outros objetos.

Tal fenômeno nada tem de surpreendente, desde que se considere que nossos mais poderosos motores saem dos fluidos mais rarefeitos e, até dos imponderáveis, como o ar, o vapor e a eletricidade. É também por meio do perispírito que o Espírito faz que os médiuns falem, escrevam ou desenhem. Desde que não tem corpo tangível para agir ostensivamente, quando quer manifestar-se serve-se o Espírito do corpo do médium, de cujos órgãos se apossa, movendo-os como se fossem seus, por meio de um eflúvio com o qual os envolve e os penetra.

31. No fenômeno das *mesas girantes e falantes* é ainda pela mesma maneira que os Espíritos agem sobre o móvel, fazendo-o mover-se sem objetivo determinado ou dando golpes intencionais, que indicam as letras do alfabeto e formam palavras e frases. É o fenômeno da *tiptologia*.

A mesa é simples instrumento de que se serve o Espírito, como se serve do lápis para escrever; dá-lhe uma vitalidade momentânea, por meio do fluido com que o penetra, mas *não se identifica com ela.* As pessoas que, emocionadas, abraçam a mesa diante da manifestação de um ser amado, praticam um ato ridículo, pois seria o mesmo que abraçar a bengala com a qual um amigo batesse à porta. Outro tanto poderíamos dizer das que se dirigem à mesa, como se o Espírito se achasse entranhado na madeira, ou se a madeira se tivesse transformado no Espírito.

Por ocasião dessas comunicações o Espírito não está na mesa, mas a seu lado, como aconteceria se estivesse vivo. Aí seria visto, se então pudesse tornar-se visível.

O mesmo acontece nas comunicações escritas: o Espírito coloca-se ao lado do médium, dirige-lhe a mão ou lhe transmite o seu pensamento por meio de uma corrente fluídica.

Quando a mesa se ergue do solo e se libra no espaço sem ponto de apoio, não é pela força física dos braços que o Espírito a levanta: é por meio de uma atmosfera fluídica, que a envolve e a interpenetra. Esse fluido neutraliza a força de gravidade, do mesmo modo que o ar com os balões e os papagaios de papel. Interpenetrando a mesa, o fluido lhe dá, momentaneamente, menor peso específico. Quando ela repousa no solo está no mesmo caso da campânula da máquina pneumática, quando se faz o vácuo.

Isto é uma simples comparação, para mostrar a analogia dos efeitos, mas não uma identidade de causas.

Quando a mesa persegue alguém, não é o Espírito que corre: ele pode estar tranqüilo, em seu lugar e apenas lhe dar, por uma corrente fluídica, o impulso necessário para que se mova à sua vontade. Nas batidas que se ouvem na mesa ou noutros objetos, não é o Espírito quem bate com a mão, ou com qualquer objeto: ele lança um jacto de fluido no ponto de onde vem o ruído e produz o efeito de um choque elétrico, modificando os sons, do mesmo modo que podem modificar-se os que se ouvem no ar.

Fácil é, pois, compreender-se como o Espírito pode erguer uma pessoa no ar, levantar um móvel qualquer e transportar um objeto de um lugar para outro, ou atirá-lo onde quiser.

Tais fenômenos são regidos por uma e mesma lei.

32. Por estas poucas palavras pode ver-se que, seja qual for a sua natureza, as manifestações espíritas nada têm de sobrenatural ou de maravilhoso: são fenômenos produzidos em virtude da lei que rege as relações entre o mundo visível e o invisível e que é tão natural quanto as leis da eletricidade ou da gravidade.

É o Espiritismo a ciência que nos dá a conhecer essa lei, do mesmo modo que a Mecânica nos ensina as leis do movimento e a Ótica as da luz. Desde que são um fato natural, as manifestações espíritas ocorreram em todos os tempos. Uma vez conhecida a lei que as rege, ficam explicados grande número de problemas que eram tidos como insolúveis; essa lei é a chave de uma porção de fenômenos explorados e aumentados pela superstição.

33. Afastado o maravilhoso, tais fatos nada apresentam que repugne à razão, de vez que passam a ter um lugar próprio entre outros fenômenos naturais. Em tempos de ignorância eram tidos como sobrenaturais todos aquêles efeitos cuja causa era desconhecida. Mas as descobertas da ciência foram restringindo continuamente o âmbito do maravilhoso, que o conhecimento da nova lei acabou por aniquilar.

Assim, pois, os que acusam o Espiritismo de restaurar o maravilhoso provam, por isso mesmo, que falam de uma coisa que desconhecem.

34. As manifestações espíritas são de duas ordens: *efeitos físicos* e *comunicações inteligentes*. Os primeiros são fenômenos materiais ostensivos, tais como movimentos, ruídos, transportes de objetos, etc.; os últimos consistem na permuta regular de pensamentos, quer por meio de sinais, quer por meio da palavra — principalmente da palavra escrita.

35. As comunicações obtidas dos Espíritos podem ser boas ou más, exatas ou falsas, profundas ou frívolas, conforme a natureza dos que as transmitem. Os que dão mostras de sabedoria e de erudição são Espíritos adiantados na senda do progresso; os que mostram ignorância e maldade ainda são atrasados. Mas com o tempo hão de progredir.

Os Espíritos podem responder apenas sobre aquilo que sabem, de conformidade com o seu adiantamento e, ainda assim, dentro dos limites do que lhes é permitido dizer — pois há coisas que não podem revelar, de vez que nem tudo é dado ainda ao homem conhecer.

36. Da diversidade de aptidões e de qualidades dos Espíritos decorre que não basta nos dirigirmos a qualquer um para que obtenhamos resposta certa sôbre um assunto qualquer. Em relação a muitas coisas só lhes é possível dar-nos uma opinião

pessoal, que tanto pode estar certa, quando errada. Se for prudente, não deixará ele de confessar sua ignorância sobre aquilo que desconhece; se for frívolo ou mentiroso responderá a todas as perguntas, pouco se importando com a verdade; se for orgulhoso, dará sua opinião como se fosse uma verdade absoluta.

Por isso diz São João Evangelista:

"*Não creais em todos os Espíritos, mas examinai se eles são de Deus.*"

Mostra a experiência a sabedoria deste conselho. Seria imprudência e leviandade aceitar sem exame tudo aquilo que vem dos Espíritos. É necessário conhecer bem o caráter dos que estão em relação conosco [5].

37. Pela linguagem se conhece a qualidade dos Espíritos. A dos verdadeiramente bons e superiores é sempre digna, nobre, lógica e isenta de contradições; transparece sabedoria, benevolência, modéstia e a mais pura moral; é concisa e sem palavras inúteis. A dos inferiores, ignorantes ou orgulhosos quase sempre compensa a nulidade das idéias pela abundância de palavras. Todo pensamento evidentemente falso, todo ensino contrário à sã moral, todo conselho ridículo, toda expressão grosseira, banal ou apenas frívola, enfim toda manifestação de malevolência, de arrogância ou de presunção é sinal inconteste de inferioridade do Espírito.

38. Os Espíritos inferiores são mais ou menos ignorantes; seu horizonte moral é limitado, sua perspicácia reduzida. Têm das coisas uma idéia geralmente incompleta, ou falsa e, ainda mais, conservam os preconceitos terrenos que, muitas vezes, tomam como verdades. Por isso são incapazes de dar opinião em várias questões. Voluntária ou involuntariamente podem induzir-nos em erro sobre coisas que eles próprios não compreendem.

39. Pelo fato de serem inferiores os Espíritos não são todos maus: alguns são apenas ignorantes e leviano; outros são brincalhões, alegres e espirituosos e sabem empregar a sátira fina e mordaz. Ao seu lado, no mundo espiritual, como na Terra, encontram-se todos os gêneros de perversidade e toda a gradação de superioridade moral e intelectual.

---

[5] Vide O LIVRO DOS MÉDIUNS, n.º 267.

40. Os Espíritos superiores só se ocupam de comunicações inteligentes e instrutivas; as manifestações físicas, ou simplesmente materiais, são antes obra de Espíritos inferiores, vulgarmente chamados *Espíritos batedores,* assim como entre nós as provas de força física são executadas por saltimbancos e não por cientistas.

41. Quando entramos em comunicação com os Espíritos devemos estar calmos e concentrados; nunca perder de vista que eles são as almas dos homens e que é inconveniente transformar o trabalho num brinquedo ou num pretexto para um divertimento. Se respeitamos os seus despojos mortais, mais ainda devemos respeitar as almas que os animaram.

As reuniões frívolas ou sem objetivo sério fogem, assim, a um dever. Os que a compõem esquecem que, de um momento para outro podem passar ao mundo dos Espíritos; e não ficariam satisfeitos se fossem tratados desatenciosamente.

42. Há que considerar outro ponto, de idêntica importância: é que os Espíritos são livres. Só se comunicam quando querem, com quem lhes convém e quando os seus afazeres o permitem. Não estão às ordens ou à mercê dos caprichos de quem quer que seja; e ninguém poderá obrigá-los a vir quando não querem ou a revelar aquilo que desejam silenciar. Assim, ninguém poderá garantir que tal Espírito há de responder a esta ou àquela pergunta que lhe for feita. Afirmá-lo é demonstrar ignorância dos princípios mais elementares do Espiritismo. E *só a charlatanice tem princípios "infalíveis".*

43. Os Espíritos são atraídos pela simpatia, pela semelhança de gestos e de caracteres ou pela intenção dos que desejam a sua presença. Os superiores não vão às reuniões fúteis, do mesmo modo que os cientistas da Terra não vão a uma assembléia de jovens estúrdios. Diz-nos o simples bom-senso que não pode ser de outro modo. Entretanto, se por acaso algumas vezes ali se mostram é visando dar salutares conselhos, combater os vícios e reconduzir ao bom caminho aqueles que se haviam transviado. E se não forem atendidos, retiram-se.

Um juízo completamente errado faz aquele que pensa que os Espíritos sérios se prestem a responder a futilidades, a perguntas ociosas, nas quais se revela a pouca afeição e o desrespeito para com ele, bem como o pouco desejo de se instruir. Menos ainda que venham dar espetáculo para divertir os curiosos.

Se não fariam tal coisa em vida, também não o farão depois de mortos.

44. A conseqüência das reuniões frívolas é a atração de Espíritos levianos, que apenas buscam ocasião para enganar e mistificar. Pela mesma razão que os homens graves e sérios não tomam parte em reuniões de importância medíocre, os Espíritos sérios só se manifestam em reuniões sérias, que não visem a curiosidade, mas a instrução. É em tais reuniões que os Espíritos superiores dão os seus ensinamentos.

45. Decorre do que precede que, para ser proveitosa, toda reunião espírita deve, como primeira condição, ser séria e homogênea; nela tudo deve passar-se respeitosa, religiosa e dignamente, desde que se deseje o concurso habitual dos bons Espíritos. É preciso não esquecer que se essas mesmas entidades a ela tivessem comparecido em vida, teriam sido tratadas com toda consideração a que têm ainda mais direito depois de mortas.

46. Em vão alegam que certas experiências frívolas, curiosas ou divertidas, são necessárias para convencer os incrédulos. Assim chegam a um resultado diametralmente oposto. Inclinado a escarnecer das mais sagradas crenças, não pode o incrédulo ver algo de sério naquilo de que zomba, nem respeitar uma coisa que lhe não é apresentada de modo respeitável. Por isso habitualmente se retira com uma impressão má das reuniões banais e levianas, das reuniões onde não encontra ordem, nem seriedade e recolhimento.

O que principalmente pode convencê-lo é a prova da presença de seres cuja memória lhe é querida; diante de suas palavras sérias mas suaves, de sua revelações íntimas é que se comove e empalidece. Ora, o fato mesmo de respeitar, venerar e amar a criatura, cuja alma lhe apresentam, deixa-o chocado e escandalizado, por vê-la numa reunião irreverente, entre mesas girantes e piruetas de Espíritos brincalhões. Sua consciência de incrédulo repele essa mistura de coisas sérias com coisas ridículas, do religioso com o profano. Então considera tudo como charlatanice e às vezes sai menos convencido do que ao entrar.

Reuniões dessa natureza ocasionam sempre mais mal do que bem, pois afastam da doutrina mais gente do que atraem. Além do mais, elas se prestam à crítica dos detratores, que aí encontram razões fundadas para a sua zombaria.

47. É erro considerar as manifestações físicas como um brinquedo. Se elas não têm a importância do ensino filosófico, têm utilidade do ponto de vista da fenomenologia, porque constituem o *a, b, c* da ciência, cuja chave nos trouxeram. Posto sejam hoje menos necessárias, concorrem para a convicção de algumas pessoas.

Mas, de modo algum, são incompatíveis com a ordem e com a decência que devem presidir essas reuniões experimentais. Se fossem sempre praticadas com a necessária conveniência, convenceriam mais facilmente e, sob todos os pontos de vista, produziriam resultados muito melhores.

48. Alguns fazem das evocações uma idéia muito falsa: crêem que elas consistem em atrair os mortos com todo o lúgubre aparato dos túmulos.

O pouco que já dissemos sôbre isto basta para dissipar este erro.

Só nos romances, nos contos fantásticos de *almas penadas* e no teatro é que aparecem os mortos desencarnados, saindo dos seus sepulcros enrolados em mortalhas e chocalhando os ossos.

O Espiritismo jamais fez milagres: nunca os produziu e jamais pretendeu ressuscitar um corpo morto. Quando o corpo está na sepultura, dela jamais sairá; mas o ser espiritual, fluídico e inteligente ali não se acha com o invólucro material do qual se separou no momento da morte. Uma vez operada tal separação, entre eles nada mais existe de comum.

49. A crítica malévola representou as manifestações espíritas como uma mescla de práticas ridículas da magia e da necromancia. Se as pessoas que falam de Espiritismo sem o conhecer tivessem o trabalho de o estudar, teriam poupado esse esfôrço de imaginação, que apenas serve para demonstrar a sua ignorância e a sua má-vontade.

Cabe dizer às pessoas estranhas ao Espiritismo que para nos comunicarmos com os Espíritos não há dias, nem lugares, nem horas mais propícios que outros. Para os evocar não há formas sacramentais ou cabalísticas; não há necessidade de qualquer preparação ou iniciação; o emprego de qualquer sinal ou qualquer objeto material, visando atraí-los ou os repelir nenhum efeito produzem — basta o pensamento; finalmente, os médiuns recebem as comunicações tão simples e naturalmente como se recebessem um ditado de uma criatura viva, sem sairem de seu estado normal.

Só o charlatanismo emprega maneiras esquisitas e acessórios ridículos. O apelo aos Espíritos é feito em nome de Deus, respeitosamente e com recolhimento: é o único preceito recomendado às pessoas sérias, que desejam comunicar-se com Espíritos sérios.

Fim providencial das manifestações

50. O fim providencial das manifestações espíritas é convencer os incrédulos de que nem tudo se acaba com a vida terrena e dar aos crentes uma idéia mais justa do futuro. Os bons Espíritos vêm instruir-nos, visando o nosso melhoramento e o nosso progresso e não para nos revelar aquilo que ainda não podemos saber ou que apenas o deve ser como resultado do nosso trabalho.

Se bastasse interrogá-lo para conseguir a solução de todas as questões científicas, ou para fazer descobertas e invenções rendosas, qualquer ignorante poderia, sem estudar, tornar-se um cientista e todo preguiçoso poderia ficar rico sem trabalhar. Mas é o que Deus não permite. Os Espíritos ajudam o homem de gênio pela inspiração oculta, mas não o eximem do trabalho nem o libertam da investigação, a fim de lhe deixar o mérito.

51. Uma idéia muito errada dos Espíritos formaria aquele que neles visse apenas os ajudantes dos ledores da buenadicha. Os Espíritos sérios recusam ocupar-se de coisas fúteis; os frívolos e os brincalhões tratam de tudo, a tudo respondem, predizem tudo quanto se queira, sem nenhuma consideração à verdade e encontram um malévolo prazer em mistificar as criaturas demasiado crédulas. Por isso é essencial estar perfeitamente atento sobre a natureza das perguntas que podem ser dirigidas aos Espíritos [6].

52. Fora daquilo que poderá ajudar ao nosso progresso moral, só incertezas encerram as revelações feitas pelos Espíritos.

---

[6] Vide O LIVRO DOS MÉDIUNS, n.º 286: *Perguntas que podem ser dirigidas aos Espíritos.*

A primeira conseqüência má para quem desvia sua faculdade do seu objetivo providencial é ser mistificado pelos Espíritos enganadores, que pululam em torno dos homens; a segunda é ficarem dominados por esses mesmos Espíritos que, por meio de conselhos pérfidos, podem conduzi-lo a verdadeiras desgraças materiais na Terra; a terceira é perder, após a vida terrena, o fruto do conhecimento do Espiritismo.

53. Assim, as manifestações espíritas não se destinam a servir aos interesses materiais: sua utilidade reside nas conseqüências morais decorrentes. Entretanto, se seu resultado fosse ùnicamente demonstrar, de modo material, a existência da alma e a sua imortalidade, já seria muito, porque temos um novo e largo caminho aberto à filosofia.

Os médiuns

54. Apresentam os médinus uma grande variedade de aptidões, que os tornam mais ou menos adequados para a obtenção deste ou daquele fenômeno, deste ou daquele gênero de comunicações. Conforme tais aptidões eles se dividem em médiuns *de efeitos físicos de comunicações inteligentes, videntes, falantes, auditivos, sensitivos, desenhistas, poliglotas, poetas, músicos, escreventes, etc.*

Não devemos esperar do médium nada que esteja fora dos limites de sua faculdade. Sem o conhecimento das aptidões mediúnicas, o observador não achará explicação para certas dificuldades ou para certas impossibilidades encontradas na prática [7].

55. Os médiuns de efeitos físicos são particularmente mais aptos para a produção de fenômenos materiais, como os movimentos, as batidas, etc., com o auxílio de mesas ou outros objetos. Quando tais fenômenos revelam um pensamento, ou obedecem a uma vontade, são efeitos inteligentes e, como tal, denotam uma coisa inteligente. É este um dos modos pelos quais se manifestam os Espíritos.

Por meio de um número de batidas, previamente convencionadas, obtém-se a resposta pelo *sim* ou pelo *não*, ou, ainda, a designação das letras do alfabeto, com as quais se formam palavras e frases.

---

[7] Vide O LIVRO DOS MÉDIUNS, cap. XVI, n.º 195.

Este método primitivo é muito demorado e não permite grande desenvolvimento.

As mesas falantes foram o início da ciência. Hoje, porém, já existem meios de comunicação tão rápidos e completos como entre os vivos, de modo que ninguém mais emprega aqueles, a não ser acidentalmente, e como experiência.

56. De todos os meios de comunicação é a escrita ao mesmo tempo o mais simples, o mais rápido, o mais cômodo e aquele que permite maior desenvolvimento. Também é a faculdade que se encontra com mais freqüência.

57. A princípio, para obter a comunicação escrita, usaram-se meios materiais, como a cesta, a prancheta, etc., munidas de um lápis [8]. Mais tarde foi reconhecida a inutilidade desses acessórios e a possibilidade dos médiuns escreverem diretamente com a mão, como nas condições ordinárias.

58. O médium escreve influenciado pelos Espíritos, que dele se servem como de um instrumento. Sua mão é tangida por um movimento involuntário, que muitas vezes não pode dominar. Certos médiuns não têm consciência do que escrevem; outros têm uma vaga idéia, posto que o pensamento lhes seja estranho. E é isto o que distingue os *médiuns mecânicos* dos *médiuns intuitivos* ou dos *semimecânicos*.

A ciência espírita explica a maneira por que o pensamento do Espírito é transmitido ao médium e o papel que tem este nas comunicações [9].

59. O médium possui apenas a faculdade de transmitir a comunicação. Esta, porém, depende da vontade dos Espíritos. Se eles não se quiserem manifestar, nada conseguirá o médium: será um instrumento sem músico para tocar.

Como os Espíritos só se comunicam quando podem, ou quando querem, não se acham sujeitos ao capricho de ninguém: *nenhum médium pode forçá-los a se apresentarem*. Isto explica a intermitência da mediunidade — mesmo nos melhores médiuns — e que, por vezes, a interrupção chegue a durar meses.

---

[8] Vide O LIVRO DOS MÉDIUNS, cap. XIII, n.ºs 152 e segs.
[9] Vide O LIVRO DOS MÉDIUNS, cap. XV, n.ºs 179 e segs.; cap. XIX, n.ºs 223 e segs.

É, pois, um erro pensar que a mediunidade seja derivada do *talento* do médium. O talento se adquire pelo trabalho e quem o possui é sempre seu senhor; enquanto que o médium jamais é senhor de sua faculdade: ela depende de uma vontade estranha.

60. Quando os médiuns de efeitos físicos obtêm a produção de certos fenômenos à vontade e com regularidade — desde que não haja dolo — é que se acham em relação com Espíritos de baixa categoria, que se comprazem em tais exibições e que, possivelmente, foram prestidigitadores na Terra. Seria, então, absurdo pensar que Espíritos — mesmo de pouca elevação — se divirtam em espetáculos teatrais.

61. A obscuridade necessária à produção de alguns dos efeitos físicos presta-se a suspeitas, mas nada prova contra a autenticidade dos fatos. Sabe-se que em Química certas combinações não podem ser realizadas em plena luz; muitas composições e decomposições se dão sob a ação do fluido luminoso. Ora, todo fenômeno espírita resulta de uma combinação de fluidos próprios do Espírito com os fluidos do médium. Como tais fluidos são matéria, não admira que, em determinadas condições, sua combinação seja contrariada pela ação da luz.

62. As comunicações inteligentes também se realizam pela ação do fluido do Espírito sobre o médium; é preciso que o fluido do médium se identifique com o do Espírito. Assim, a facilidade das comunicações depende do grau de *afinidade* que se estabeleça entre os dois fluidos. Cada médium se torna, assim, mais ou menos apto a receber a *impressão* ou a *impulsão* do pensamento deste ou daquele Espírito. Pode ser um bom instrumento para um e péssimo para outro. Em conseqüência, estando dois médiuns, igualmente bem dotados, sentados lado a lado, um Espírito talvez só por um possa manifestar-se.

63. É erro pensar que basta ser médium para receber com a mesma facilidade comunicações de qualquer Espírito. Não há médiuns universais para as evocações, como não os há com aptidões para toda sorte de fenômenos. Os Espíritos buscam de preferência os instrumentos mais adequados. Então querer impor-lhes o primeiro médium de que disponhamos seria o mesmo

que querer obrigar um pianista a tocar violino, apenas porque, de vez que sabe música, poderá tocar qualquer instrumento.

64. As comunicações são impossíveis, ou incompletas, ou, ainda, falsas, desde que não haja a harmonia só realizada pela assimilação dos fluidos. Podem ser falsas porque, em lugar do Espírito que se deseja, não faltarão outros que estejam sempre dispostos a manifestar-se e que pouco se incomodam com a verdade.

65. Por vezes a assimilação fluídica é absolutamente impossível entre certos Espíritos e certos médiuns. Outras vezes — e é este o caso mais comum — ela só se estabelece gradativamente, e com o tempo. Assim se explica que certos Espíritos encontrem maior facilidade em manifestar-se por certos médiuns, com os quais estão mais habituados. Também ainda assim se explica porque, quase sempre, as primeiras comunicações são menos explícitas e denotam um certo constrangimento.

66. Tão necessária é a assimilação fluídica nas comunicações pela tiptologia quanto pela escrita, visto como, num caso como no outro, se trata da transmissão do pensamento do Espírito, seja qual for o meio material para isso empregado.

67. Não se pode impor um médium ao Espírito que se deseja evocar: convém deixar que escolha ele mesmo o seu instrumento. Em todo caso, é preciso que, antes, o médium se identifique com o Espírito, pelo recolhimento e pela prece, ou durante alguns minutos e, até, durante alguns dias, se possível, de modo que seja ativada a assimilação fluídica.

68. Quando as condições fluídicas não são favoráveis à comunicação entre Espírito e médium, pode ela ser feita através de guia espiritual deste último. Então o pensamento é transmitido de segunda mão, isto é, atravessa dois intermediários. Compreende-se a importância de ser o médium bem assistido. Porque, caso seja por um obsessor, ou por um Espírito ignorante ou orgulhoso, a comunicação poderá ser adulterada.

Neste caso as qualidades pessoais do médium representam, necessariamente, um papel muito importante, pela natureza dos Espíritos que atrai. Os mais incorretos médiuns podem possuir faculdades muito poderosas. Mas os mais seguros serão os que aliarem a esse poder as melhores simpatias no mundo espiritual.

Ora, tais simpatias de modo algum são demonstradas pelos nomes, mais ou menos retumbantes, que subscrevem as comunicações recebidas pelo médium, mas por ser o seu fundo *constantemente bom*.

69. Qualquer que seja a forma de comunicação, do ponto de vista experimental, apresenta a prática espírita numerosas dificuldades e não se acha isenta de inconvenientes para quem não tenha a necessária experiência.

Quer se experimente em si mesmo, quer seja apenas um observador das experiências alheias, é imprescindível que se saibam distinguir as várias naturezas dos Espíritos que se podem manifestar conhecer a causa de todos os fenômenos, as condições em que os mesmos podem ser produzidos, os obstáculos que é preciso vencer, a fim de que não se perca tempo pedindo coisas impossíveis.

É também indispensável conhecer todas as condições e todos os escolhos da mediunidade, a influência do meio, a das disposições morais, etc. [10].

Escolhos da mediunidade

70. Um dos maiores escolhos da mediunidade é a *obsessão*, ou domínio que certos Espíritos podem exercer sobre os médiuns, apresentando-se com nomes supostos e impedindo que por eles se manifestem outros Espíritos. Isto constitui, também, um perigo em que esbarra todo observador novato e inexperiente, que, desconhecendo as características desse fenômeno, pode enganar-se pelas aparências, do mesmo modo que aquele que desconhecesse a medicina pode enganar-se quanto à causa e a natureza de uma doença.

Se, neste caso, o estudo prévio é vantajoso para o observador, torna-se indispensável para o médium, pois lhe fornece os meios de prevenir um inconveniente que lhe pode acarretar desagradáveis consequências. Por isso toda recomendação é pouco para que o estudo preceda sempre a prática [11].

---

[10] Vide O LIVRO DOS MÉDIUNS, 2.ª parte.
[11] Vide O LIVRO DOS MÉDIUNS, cap. XXIII.

71. Apresenta a obsessão três graus bem característicos: *a obsessão simples, a fascinação* e *a subjugação*. No primeiro tem o médium inteira consciência de que nada obtém de bom; não se engana quanto à natureza do Espírito que teima em se manifestar e do qual deseja livrar-se. Tal caso não oferece gravidade: é um simples aborrecimento, do qual se liberta o médium se deixar, no momento, de escrever. Cansado por não se ver atendido, o Espírito acaba se retirando.

A *fascinação* é muito mais grave, porque o médium fica perfeitamente iludido. O Espírito que o domina conquista-lhe a confiança a ponto de lhe paralisar a capacidade de julgar as comunicações recebidas e lhe fazer considerar sublimes os maiores absurdos.

O caráter marcante desse gênero de obsessão é a provocação de uma extrema susceptibilidade do médium, o qual é levado a só admitir como bom, justo e certo aquilo que ele próprio escreve, ao mesmo tempo em que repele todo conselho e toda crítica. Então rompe com os amigos, em vez de se convencer de que é enganado; alimenta inveja contra os outros médiuns, cujas comunicações sejam consideradas melhores que as suas; e, por fim, quer impor-se nas reuniões espíritas, de onde se afasta, desde que não as possa dominar.

Esta atuação do Espírito pode ir ao ponto de arrastar o indivíduo a dar passos ainda mais ridículos e comprometedores.

72. Um dos caracteres distintivos dos Espíritos maus é a imposição. Dão ordens e querem ser obedecidos. Os bons jamais impõem: dão conselhos e, quando não escutados, retiram-se.

Decorre daí que a impressão deixada pelos maus Espíritos é sempre penosa e fatigante. Muitas vezes causa uma agitação febril, movimentos bruscos e desordenados. Ao contrário, a dos bons é calma, suave e agradável.

73. A *subjugação*, outrora chamada *possessão*, é um constrangimento físico que exercem Espíritos da pior espécie e que pode chegar, até, a anulação do livre-arbítrio do paciente. Muitas vezes, porém, se reduz a simples impressões desagradáveis; outras vezes provoca movimentos desordenados, atos insensatos, gritos, palavrões, frases incoerentes, cujo ridículo o subjugado por vêzes compreende mas não pode evitar.

Este estado difere fundamentalmente da *loucura patológica*, com a qual erroneamente a confundem, por isso que a sua causa não é uma lesão orgânica. Assim, diversa sendo a origem, diversos devem ser os processos de cura. A aplicação do processo ordinário de duchas e tratamento corporal por vezes chega a determinar uma loucura verdadeira naquele que apenas sofria uma enfermidade moral.

74. Na loucura propriamente dita a causa do mal é orgânica. É preciso restituir ao organismo o seu estado normal; na *subjugação* a causa é espiritual; é preciso livrar o doente de um inimigo invisível — não por meio de medicamentos, mas *opondo uma força moral superior a dele*.

Em tal caso a experiência tem provado que jamais os exorcismos deram resultados satisfatórios: em vez de minorar a situação, agravam-na.

Apontando a verdadeira causa do mal, só o Espiritismo pode oferecer meios de o combater: a educação moral do obsessor. Por meio de conselhos bem-dirigidos, consegue-se torná-lo melhor e fazer que renuncie voluntariamente aos tormentos que causa ao enfermo. Este, assim, fica livre [12].

75. Geralmente a subjugação é individual. Entretanto, quando uma legião de Espíritos maus cai sobre uma povoação, pode apresentar um caráter epidêmico.

Foi um fenômeno idêntico que se verificou ao tempo de Cristo. E, então só um poder moral superior poderia dominar esses seres malfazejos, chamados *demônios* e restabelecer a calma das vítimas.

76. Há que considerar um fato importante: é que, seja qual for a sua natureza, a obsessão independe do exercício da mediunidade e se manifesta em todos os graus, principalmente no último, em grande número de criaturas que jamais ouviram falar de Espiritismo.

Na verdade, desde que os Espíritos têm existido de todos os tempos, sempre têm exercido influência; a mediunidade não

---

[12] Vide O LIVRO DOS MÉDIUNS, n.º 279; REVUE SPIRITE, n.ºs de fevereiro, março e junho de 1864; *La jeune obsédée de Marmande*.

é causa — é simples meio de manifestação dessa influência. Assim, pode dizer-se com segurança que todo médium obsidiado sofre de um modo qualquer e, freqüentemente, nos atos mais comezinhos da vida, os efeitos de tal influência. Se não fora a mediunidade, a influência seria levada à conta de certas enfermidades misteriosas, que escapam à investigação dos médicos. Pela mediunidade o Espírito malévolo denuncia a sua presença; sem ela, permaneceria oculto e ninguém o suspeitaria.

77. Aqueles que negam tudo quanto não afeta os sentidos não admitem essa causa oculta. Quando, porém, a Ciência tiver saído do caminho materialista, reconhecerá na ação do mundo invisível, que nos envolve, e em cujo meio nós vivemos, uma força que tanto reage sobre as coisas físicas quanto sobre as morais. Será um novo caminho rasgado ao progresso e a chave de uma porção de fenômenos até agora mal compreendidos.

78. Desde que a obsessão jamais poderá ser causada por um bom Espírito, é essencial saber-se reconhecer a natureza daqueles que se apresentam. O médium não esclarecido pode ser enganado pelas aparências; mas o médium prevenido percebe o menor sinal suspeito. Então, percebendo que nada poderá fazer, o Espírito se retira.

O conhecimento prévio dos meios de distinguir bons e maus Espíritos é, assim, indispensável aos médiuns que não querem expor-se a uma armadilha. Também o é ao mero observador, que, por esse meio, pode aquilatar do valor do que vê e do que ouve [13].

Qualidades dos médiuns

79. A faculdade mediúnica é uma propriedade orgânica; não depende das qualidades morais do médium; mostra-se-nos em diversos graus da escala moral. O mesmo não se dá, entretanto, com a preferência que os bons Espíritos dão aos médiuns.

80. Os bons Espíritos comunicam-se mais ou menos espontaneamente, por este ou aquele médium, conforme a simpatia que lhes inspiram. A boa ou má qualidade dos médiuns

---

[13] Vide O LIVRO DOS MÉDIUNS, cap. XXIV.

não deve ser aquilatada pela maior ou menor facilidade com que recebe as comunicações, mas por sua aptidão em receber apenas bons Espíritos e não ser joguete de Espíritos zombeteiros.

81. Por vezes os médiuns de menor padrão de moralidade recebem excelentes comunicações que não poderiam vir senão de Espíritos bons. Isto, porém, não deve causar espanto; elas sempre vêm com o objetivo de lhes dar sábios conselhos.

Se os médiuns os desprezam, maior será a sua culpa, porque lavram sua própria condenação. Deus, na sua infinita bondade, não pode recusar assistência àqueles que dela mais necessitam. O virtuoso missionário que vai pregar aos criminosos procede como os bons Espíritos com os médiuns imperfeitos.

Por outro lado, querando dar a todos um ensino útil, servem-se os bons Espíritos do instrumento de que dispõem; mas o deixam assim que encontram outro mais simpático e que melhor aproveite as suas lições.

Com a retirada dos bons, os Espíritos inferiores, que pouco se incomodam com as qualidades morais dos médiuns, encontram o campo livre.

Em conseqüência, os médiuns moralmente imperfeitos, os que não procuram emendar-se, mais cedo ou mais tarde são presa dos maus Espíritos, que por vezes os conduzem à ruína e às maiores desgraças, ainda na vida terrena. Então a sua mediunidade, inicialmente tão bela, e que assim poderia ter sido conservada, se perverte e finalmente se perde, abandonada dos bons Espíritos.

82. Não se acham os médiuns de maior merecimento a salvo das mistificações dos Espíritos embusteiros. Primeiro, porque entre nós ainda não há criaturas suficientemente perfeitas e que não apresentem um lado fraco, o qual dá acesso aos maus Espíritos; segundo, porque às vezes os bons Espíritos permitem que os maus se manifestem, a fim de que exercitemos a nossa razão e aprendamos a distinguir a verdade do erro e fiquemos de prevenção, não aceitando cegamente e sem maior exame tudo quanto nos vem dos Espíritos. Entretanto jamais um bom Espírito nos virá enganar. O erro, seja qual for o nome com que se acoberte, vem sempre de uma fonte má. Podem, ainda, essas mistificações ser uma prova para a paciência e para a perseverança de um espírita, quer seja médium quer não o seja.

Os que desanimam com as decepções dão aos bons Espíritos uma prova de que não são instrumentos de confiança.

83. Não é para admirar que os maus Espíritos possam obsidiar criaturas de valor, pois na Terra também se encontram homens de bem perseguidos pelos que não o são. É digna de nota a diminuição do número de médiuns obsidiados após a publicação de O LIVRO DOS MÉDIUNS. Compreende-se que, estando prevenidos, conservem-se vigilantes e notem os mais leves indícios que denunciam a presença dos mistificadores.

A maioria dos que ainda se mostram em tal estado ou não fizeram o recomendado estudo prévio, ou não deram importância aos conselhos recebidos.

84. Aquilo que realmente constitui o médium é a faculdade mediúnica. Sob tal ponto de vista pode ser mais ou menos formado, mais ou menos desenvolvido.

Médium *seguro*, que pode, na verdade, ser considerado *bom médium*, é aquele que aplica a sua faculdade visando tornar-se apto a servir de intérprete aos bons Espíritos. O poder que tem o médium de atrair bons Espíritos e repelir os maus está na razão direta de sua superioridade moral e da posse de maior número de qualidades que constituem o homem de bem. É por elas que atraímos a simpatia dos bons Espíritos e adquirimos ascendente sobre os maus.

85. Pelas mesmas razões as imperfeições morais do médium o aproximam da natureza dos maus Espíritos, tiram-lhe a força necessária para os afastar de si e, *em vez de se lhes impor, sofre a imposição deles.*

Isto não só se aplica aos médiuns, mas a todas as pessoas, indiscriminadamente, visto como não há ninguém que não esteja sujeito à influência dos Espíritos [14].

86. Com o fito de se imporem ao médium, os maus Espíritos sabem explorar com habilidade todas as suas fraquezas. E dos nossos defeitos, é o *orgulho* aquele que mais os atrai, por ser o sentimento predominante na maior parte dos médiuns obsidiados e, notadamente, dos fascinados. É o orgulho que os leva

---

[14] Vide acima, n.os 74-75.

a se considerarem infalíveis e a repelir todos os conselhos. Infelizmente tal sentimento é excitado pelos elogios que lhes são feitos. Basta que um médium apresente uma faculdade levemente transcendente para que o procurem e o adulem. Isto dá lugar a que exagere a sua importância e se considere indispensável — o que constitui a sua perda.

87. Ao passo que o médium imperfeito se orgulha dos nomes ilustres — mas quase sempre apócrifos — que subscrevem as comunicações por ele recebidas, e se julga um intérprete das forças celestes, o bom médium jamais se crê bastante digno de tal favor: tem sempre uma saudável desconfiança do mérito daquilo que recebe e não confia em seu próprio julgamento. Como é apenas um instrumento passivo, compreende que as boas mensagens nenhum mérito pessoal lhe conferem, do mesmo modo que nenhuma responsabilidade teria se fossem más; e, mais: que seria ridículo acreditar na identidade absoluta e insofismável dos Espíritos que se manifestam por seu intermédio.

Deixa que pessoas desinteressadas julguem o seu trabalho, sem que o seu amor-próprio se sinta ferido por qualquer opinião desfavorável, da mesma maneira que um ator não se sentirá melindrado pelas críticas feitas à peça que representa. Seu caráter marcante é a simplicidade e a modéstia. Sente-se feliz com a faculdade que possui, não por vaidade, mas porque lhe é um meio de tornar-se útil — o que faz de boa-vontade, sempre que se lhe oferece uma oportunidade — e jamais se incomoda quando outros médiuns são preferidos.

São os médiuns os intermediários, os intérpretes dos Espíritos. Ao evocador, como ao simples observador, cabe apreciar o valor do instrumento.

88. Do mesmo modo que as outras faculdades, é a mediunidade um dom de Deus, que tanto pode ser empregado para o bem quanto para o mal e do qual, pois, pode abusar-se. Seu fim é nos pôr em comunicação direta com as almas dos que viveram, a fim de recebermos ensinamentos e nos adaptarmos às necessidades da vida futura. Do mesmo modo que a vista nos põe em relação com seu mundo visível, a mediunidade nos põe com o mundo invisível.

Aquele que utiliza a mediunidade para o adiantamento próprio e o de seus irmãos desempenha uma verdadeira missão, pelo que será premiado. Aquele que abusa, empregando-a em coisas fúteis ou para satisfação de interesses materiais, a desvia de seu objetivo providencial e, mais cedo ou mais tarde, será punido, como todos aqueles que fazem mau uso de qualquer faculdade.

Charlatanismo

89. Certas manifestações espíritas muito facilmente se prestam a ser imitadas. Mas, pelo fato de terem sido exploradas por charlatães e prestidigitadores, assim como o fazem com tantas outras coisas sérias, seria absurdo pensar que não sejam reais e que sejam sempre produto do charlatanismo.

Quem estudou e sabe quais as condições normais em que as mesmas podem dar-se, logo distingue o que é realidade do que é imitação. Além do mais, a imitação nunca pode ser completa: só engana os ignorantes, os incapazes de distinguir as características do verdadeiro fenômeno.

90. As manifestações que se podem mais facilmente imitar são as de efeitos físicos e as de efeitos inteligentes mais vulgares, tais como os movimentos, as batidas, os transportes, a escrita direta, as respostas banais, etc. Já o mesmo não acontece com as comunicações inteligentes e de elevado alcance. A imitação das primeiras apenas exige habilidade e destreza; enquanto que para simular estas últimas quase sempre é necessário uma instrução acima do comum, uma excepcional superioridade intelectiva, e, por assim dizer, uma faculdade onímoda de improvisação.

91. Geralmente aqueles que desconhecem o Espiritismo são levados a duvidar da boa-fé dos médiuns. Só o estudo e a experiência lhes poderão fornecer meios de verificar a autenticidade dos fatos. Fora disso a melhor garantia reside no absoluto desinteresse e na honestidade do médium. Pessoas há que, dados o seu caráter e a sua posição se acham acima de qualquer suspeita. Se a tentação do ganho pode excitar a fraude, diz o bom-senso que o charlatanismo não pode estar onde não houver possibilidade de lucro.

92. Como em tudo, entre os adeptos do Espiritismo encontram-se entusiastas. São os piores propagandistas, pois a faci-

lidade com que tudo aceitam sem exame desperta a desconfiança. O espírita esclarecido repele esse entusiasmo que cega: observa fria e calmamente, assim evitando as ilusões e as mistificações. De lado a questão de boa fé, deve o observador novato atender à gravidade daqueles a quem se dirige.

Identidade dos Espíritos

93. Desde que todos os defeitos da humanidade são encontrados entre os Espíritos, não é possível deixar de haver a mentira e o ardil. Alguns não têm o mínimo escrúpulo em se apresentarem sob nomes muito respeitáveis, a fim de inspirarem maior confiança. Devemos, então, abster-nos de acreditar de modo absoluto na autenticidade de todas as assinaturas deixadas pelos Espíritos.

94. Uma das grandes dificuldades do Espiritismo prático é a identidade. Por vezes impossível é estabelecê-la, principalmente no caso de Espíritos superiores, que viveram em épocas muito remotas.

Entretanto, muitos dos que se manifestam não têm nomes para nós. Então, para fixarem as nossas idéias, podem adotar o nome de um Espírito conhecido e do seu próprio nível. Assim, se um Espírito se comunicar dizendo-se, por exemplo, São Pedro, nada prova que seja realmente o apóstolo do mesmo nome. Tanto pode sê-lo, quanto pode ser outro da mesma ordem ou, ainda, um enviado seu. Em tais casos, a questão de identidade é absolutamente secundária e seria pueril ligar-lhe maior importância: importante é a natureza do ensinamento; importante é saber se é bom ou mau, digno ou indigno de quem o assina, se o autor aceitaria ou não. Este é o problema.

95. Verifica-se mais facilmente a identidade quando se trata de Espíritos contemporâneos, cujos hábitos e cujo caráter erám conhecidos, de vez que é por esses hábitos e por essas peculiaridades da vida privada que a identidade se estabelece com mais segurança, e, por vezes, até, de modo incontestável.

---

[15] Vide O LIVRO DOS MÉDIUNS, cap. XXVIII — *Charlatanismo e Embuste, Médiuns interesseiros, fraudes espíritas*, n.º 300; vide, também, REVUE SPIRITE, 1862, pág. 52.

Ao evocar-se um amigo ou um parente, o que interessa é a personalidade; então é muitíssimo natural que se procure estabelecer a identidade. Entretanto os meios geralmente empregados para tal fim por aqueles que só imperfeitamente conhecem o Espiritismo não são suficientes e podem induzir em erro.

96. A identidade do Espírito é revelada por inúmeras circunstâncias, que se patenteiam nas comunicações; nelas ele reflete os seus hábitos, a sua linguagem, o seu caráter e, até, certas expressões familiares. Revela-se ainda nos detalhes íntimos em que, *espontaneamente*, participa com as pessoas que lhe são queridas.

São estas as melhores provas. Entretanto é raro que respondam às perguntas diretas feitas a esse respeito, principalmente quando tais perguntas partem de criaturas que lhes são indiferentes e que o interrogam por curiosidade ou visando obter provas.

O Espírito prova a sua identidade como quer, ou como pode. Isso depende do gênero de mediunidade do seu intermediário. Por vezes tais provas são abundantes. O mal está em querer-se que o Espírito as dê conforme deseja o evocador. Neste caso ele recusa sujeitar-se às exigências [16].

Contradições

97. As contradições notadas com mais freqüência na linguagem dos Espíritos só devem causar admiração às pessoas que possuem do Espiritismo um conhecimento incompleto. São elas devidas à própria natureza dos Espíritos que, conforme temos dito, têm das coisas um conhecimento proporcional ao seu adiantamento, e entre os quais muitos sabem menos que certos homens.

Relativamente a uma porção de assuntos muitos apenas externam uma opinião pessoal, que pode estar mais ou menos certa, mas conserva ainda um reflexo dos preconceitos terrenos, dos quais ainda não se libertaram. Outros arquitetam sistemas a respeito de coisas que desconhecem, principalmente a propósito de questões científicas e da origem das coisas. Assim,

---

[16] Vide O LIVRO DOS MÉDIUNS, cap. XXIV, *Identidade dos Espíritos;* REVUE SPIRITE, 1862, pág. 82: *"Carrère — Constatation d'un fait d'identité".*

pois, não é de admirar que nem sempre eles estejam de acordo.

98. Admiram-se certas criaturas quando encontram comunicações contraditórias, assinadas com o mesmo nome.

Só os Espíritos inferiores mudam de linguagem, conforme as circunstâncias. Os superiores, porém, jamais se contradizem.[17] Por pouco conhecedores que sejamos dos segredos do mundo espiritual, é sabida a facilidade com que certos Espíritos trocam de nome, a fim de darem mais prestígio às suas palavras. Daí poder concluir-se, com toda certeza, que de duas comunicações essencialmente contraditórias mas subscritas pelo mesmo nome respeitável, pelo menos uma é apócrifa.

99. Há dois meios para fixar as idéias sobre as questões duvidosas. O primeiro é submeter todas as comunicações ao severo exame da razão, do bom-senso e da lógica; é a recomendação feita por todos os bons Espíritos, mas a que fogem os maus, pois sabem que só terão a perder com um exame severo. Por essa razão evitam a discussão e querem ser acreditados sob palavra.

O segundo critério da verdade está na concordância do ensino. Quando o mesmo princípio é ensinado em vários lugares, por Espíritos diversos e médiuns que reciprocamente se desconhecem, que não se acham debaixo das mesmas influências, pode concluir-se que ele mais se aproxima da verdade do que o que deriva de uma fonte única e é contraditado pela maioria.

Conseqüências do Espiritismo

100. Ante a incerteza das revelações feitas pelos Espíritos, perguntar-se-á: Então, para que serve o estudo do Espiritismo?

Para provar materialmente a existência do mundo espiritual. Sendo este formado pelas almas dos que viveram, daí decorre a prova da existência da alma e da sua sobrevivência ao corpo. Manifestando-se, manifestam as almas, do mesmo passo, alegria

---

[17] Vide O LIVRO DOS MÉDIUNS, cap. XXVII, *Contradições e mistificações;* REVUE SPIRITE, 1864, pág. 99, *Autorité de la doctrine Spirite;* O EVANGELHO SEGUNDO O ESPIRITISMO, Introdução II, *Autoridade da Doutrina Espírita.*

ou sofrimento, conforme a maneira por que viveram a vida terrena. Daí a prova das penas e recompensas futuras. Quando elas nos descrevem o seu estado ou a sua situação, almas ou Espíritos corrigem as falsas idéias que faziam da vida futura e, sobretudo, da natureza e da duração de suas penas. Assim, a vida futura passa de vaga teoria insegura a um fato adquirido e positivo; desperta a necessidade de trabalhar-se o mais possível na existência presente, tão breve, em favor da existência futura, que é infinita.

Admitamos que um rapaz de vinte anos adquirisse a certeza de que iria morrer aos vinte e cinco anos. Que é o que faria nesse lapso de cinco anos que lhe restam? trabalharia para o futuro? Certo que não: procuraria gozar o mais possível, pois acreditaria que fosse uma tolice sujeitar-se sem proveito a fadigas e privações. Entretanto, se tiver a certeza de viver até os oitenta anos, outro será o seu procedimento, porque compreenderá que necessita sacrificar alguns instantes do repouso atual a fim de assegurar o repouso futuro durante longos anos.

Dá-se o mesmo com os que têm certeza da vida futura. A dúvida sobre este ponto conduz naturalmente a sacrificar tudo aos gozos da vida presente e, conseqüentemente, a ligar demasiada importância aos bens materiais. A importância atribuída a estes excita a cobiça, a inveja, o ciúme daqueles que têm pouco contra os que têm muito. Da cobiça ao desejo de adquirir a qualquer preço aquilo que o vizinho possui vai apenas um passo. Daí os ódios, as disputas, os processos e as guerras e todos os males gerados pelo egoísmo.

Com a dúvida sobre o futuro e acabrunhado pelo infortúnio e pelos desgostos desta existência, somente na morte vê o homem um termo aos seus padecimentos. Então, nada esperando, considera racional abreviá-la pelo suicídio. É natural que, sem esperança no futuro, o homem sofre e se desespera com as decepções experimentadas. Os abalos violentos que sente repercutem no seu cérebro e são a causa de muitos casos de loucura.

Sem a vida futura a existência terrena se converte para o homem em coisa capital, em objeto exclusivo de suas preocupações e a ela tudo se subordina. Por isso mesmo quer desfrutar, a qualquer preço, não só todos os bens materiais, como também as honras. Deseja brilhar e elevar-se acima de todos, ofuscar o próximo com o seu luxo e posição. Daí a desordenada ambição que liga aos títulos e a todos os enfeites da vaidade, aos quais chega a sacrificar a própria honra, de vez que nada enxergue além disso.

A certeza da vida futura com todas as suas conseqüências transforma completamente a ordem de suas idéias, fazendo-lhe ver as coisas por outro prisma: é um véu que se ergue e lhe desvenda um horizonte imenso e esplêndido.

Diante da infinidade e da grandeza da vida além da morte, a existência terrena desaparece, como um segundo na contagem dos séculos, como um grão de areia ao lado da montanha. Tudo se torna pequeno e mesquinho e nos admiramos por havermos dado tanta importância às coisas efêmeras e infantis. Daí, em meios às vicissitudes da existência, uma calma e uma tranqüilidade que constituem uma felicidade, comparados com as desordens e os tormentos a que nos sujeitamos, ao buscarmos nos elevar acima dos outros; daí, também, ante as vicissitudes e as decepções, uma indiferença, que tira quaisquer motivos de desespero, afasta os mais numerosos casos de loucura e remove, automàticamente, a idéia de suicídio.

A certeza do futuro dá ao homem esperança e resignação; a dúvida lhe tira a paciência, porque nada espera do presente.

O exemplo dos que viveram prova que a soma de felicidade futura está na razão do progresso realizado e do bem que se haja praticado, enquanto que a soma de desventuras está na razão dos vícios e das más ações. Isto produz naqueles que estejam convictos desta verdade uma tendência naturalíssima para fazer o bem e evitar o mal.

Quando a maioria dos homens estiver convencida desta verdade, quando professar estes princípios e praticar o bem, o bem triunfará sobre o mal aqui na Terra; os homens não mais se molestarão reciprocamente; reorganizarão as suas instituições sociais visando o bem geral e não o proveito de uns poucos; numa palavra, compreenderão que a lei da Caridade, ensinada por Jesus Cristo, é a fonte da felicidade, já aqui na Terra e basearão as leis civis sobre a lei da Caridade.

A constatação da existência do mundo espiritual, que nos rodeia, e de sua ação sobre o mundo corpóreo é a revelação de uma das forças da Natureza e, conseqüentemente, a chave de uma porção de fenômenos até agora incompreendidos, quer na ordem física, quer na ordem moral.

Quando a ciência tomar em consideração essa nova força até agora desconhecida, corrigirá um grande número de erros resultantes de se atribuir tudo a uma causa única — *a matéria*. O reconhecimento dessa nova causa nos fenômenos da Natureza será uma alavanca para o progresso e terá um efeito semelhante ao de outro agente novo qualquer.

Com o auxílio da lei espírita, alargar-se-ão os horizontes da Ciência, como se alargaram com o da lei da gravitação. Quando do alto de suas cátedras, os cientistas proclamarem a existência do mundo espiritual e a sua participação nos fenômenos da vida, eles inocularão na mocidade o antídoto das idéias materialistas, em vez de as predisporem para a negação do futuro.

Nas aulas de filosofia clássica ensinam os mestres a existência da alma e os seus atributos, de acordo com as várias escolas, mas sem as provas materiais. Não é esquisito que, ao se lhes fornecerem as provas de que carecem, eles as repilam e as classifiquem de superstições? Não será a mesma coisa que se dissessem aos seus discípulos: ensinamos a existência da alma, mas o nosso ensino não se baseia em nenhuma prova?

Quando um cientista erige uma hipótese sobre determinado ponto de ciência, empenha-se e acolhe com prazer tudo quanto possa demonstrar a exatidão daquela hipótese. Como é, então, que um professor de filosofia, cujo dever é provar aos seus alunos que eles possuem uma alma, impugna os meios de lhes dar disso uma demonstração patente?

101. Admitamos sejam os Espíritos incapazes de informações sobre algo além daquilo que sabemos ou além daquilo que, por nós próprios, podemos vir a saber. Mas a demonstração da vida espiritual, que nos dão eles, conduzirá indubitavelmente a uma revolução no terreno das idéias. Ora, uma revolução neste terreno não poderá deixar de produzir uma outra, na ordem mesma das coisas. Tal é a revolução que o Espiritismo prepara.

102. Entretanto os Espíritos fazem mais do que isto. Se suas revelações estão cercadas de umas tantas dificuldades e exigem grandes precauções para que sua exatidão fique bem comprovada, não é menos certo que, quando bem interrogados, ou

quando lhes é permitido, os Espíritos esclarecidos nos possam revelar fatos desconhecidos, dar explicações daquilo que não compreendíamos e nos encaminhar para um progresso muito mais rápido.

É principalmente nisto que o estudo completo e cuidadoso da ciência espírita se torna indispensável, para que a ela só peçamos aquilo que ela nos pode dar e só o peçamos de modo por que no-lo pode dar. Ultrapassando estes precisos limites, arriscamo-nos a ser enganados.

103. As menores causas podem produzir os maiores efeitos. Assim é que da pequenina semente brota a árvore gigantesca; que a queda de um fruto permitiu se descobrisse a lei que rege o equilíbrio dos mundos; que a pata de uma rã revelou a energia galvânica; e que do fenômeno banal das mesas girantes saiu a prova da existência do mundo invisível e, daí, uma doutrina que, em poucos anos, fez a volta do mundo e poderá regenerá-lo, fazendo-o reconhecer a realidade da vida futura.

104. Não ensina o Espiritismo verdades absolutamente novas, pois, conforme o provérbio, *nada há de novo debaixo do Sol*. Só as verdades eternas são absolutas; as que o Espiritismo proclama estão baseadas nas leis da Natureza e, pois, existiram de todo o tempo; seus germes são encontrados em todas as épocas; mas agora se acham mais desenvolvidos por estudos mais completos e observações mais cuidadas. Assim, as verdades ensinadas pelo Espiritismo são mais conseqüências do que descobertas.

O Espiritismo nem descobriu, nem inventou os Espíritos; também não descobriu o mundo espiritual, no qual se acreditou em todas as épocas. Mas prova essa existência pelos fatos materiais; apresenta-a em sua verdadeira luz; desembaraça-a dos preconceitos e das regras supersticiosas, que geram a dúvida e a incredulidade.

NOTA — Posto que incompletas, estas explicações são suficientes para demonstrar a base sobre que se assenta o Espiritismo, assim como o caráter das manifestações e o grau de confiança que, conforme as circunstâncias, estas podem merecer.

SOLUÇÃO DE PROBLEMAS PELA DOUTRINA ESPÍRITA

Pluralidade dos mundos

105. Serão habitados, como a Terra, os vários mundos que rolam no espaço?

— Os Espíritos o afirmam e diz-nos a razão que assim deve ser. Desde que a Terra não ocupa nenhuma posição especial no Universo, nem pelo volume, nem pela posição relativa, não deve possuir o privilégio exclusivo da habitabilidade. Além disso, Deus não teria criado essas miríades de globos com o fim exclusivo de recrear os nossos olhos, tanto mais quanto é certo que a maioria deles se acha fora do nosso alcance visual [18].

106. Se esses mundos são habitados, seus habitantes serão em tudo semelhantes a nós da Terra? Por outras palavras, poderiam viver entre nós e nós entre eles?

— A forma geral poderia ser mais ou menos a mesma; entretanto o organismo deve ser adaptado ao meio onde há de viver, do mesmo modo que os peixes o são para viver na água e os pássaros no ar. Se o meio for diferente — e tudo leva a crer que o seja, conforme parece demonstrado pelas observações astronômicas — diferente deve ser a organização. Assim, então, não é provável que, no seu estado normal, os seres mudem de mundo com os corpos que tinham em outros. Aliás é o que afirmam os Espíritos.

---

[18] Vide O LIVRO DOS ESPÍRITOS, n.º 55 — REVISTA ESPÍRITA, vol. I, *Pluralidade dos Mundos*.

107. Supondo que esses mundos sejam habitados, estariam eles na mesma categoria que o nosso, do ponto de vista moral e intelectual?

— De acordo com o ensino dado pelos Espíritos, muito variados são os graus de progresso dos mundos. Uns se acham no mesmo ponto que o nosso; outros mais atrasados, com uma humanidade mais bruta, mais material e mais inclinada para o mal. Outros, porém, já se encontram muito mais adiantados quer física, quer moral e intelectualmente. Nesses mundos o mal moral é desconhecido, as ciências e as artes já atingiram um grau de perfeição que não nos é dado compreender; sua organização física, menos material, não se acha sujeita ao sofrimento, às enfermidades: aí os homens vivem em paz, não procuram prejudicar os seus semelhantes, estão livres de desgostos, de cuidados, de aflições e das necessidades que os preocupam na Terra.

Finalmente existem mundos ainda mais adiantados, nos quais o envoltório corporal é quase fluídico e se aproxima sempre mais da natureza angélica.

Na série gradativa dos mundos, o nosso não ocupa o primeiro nem o último lugar; é um dos mais materializados e dos mais atrasados [19].

A alma

108. Qual a sede da alma?

— A alma não se acha localizada num determinado ponto do corpo, como geralmente se pensa: ela forma com o perispírito um conjunto fluídico penetrável e se assimila a todo o corpo, com o qual constitui um ser complexo. Assim, a morte não passa de um *desdobramento*. Poderíamos comparar a criatura a dois corpos semelhantes na forma, interpenetrados um no outro durante a vida, mas separados depois da morte.

Por ocasião da morte um é destruído, enquanto que o outro subsiste. Durante a vida a alma atua mais particularmente sobre

---

[19] Vide REVISTA ESPÍRITA, ano de 1858, págs. 68, 113 e 236; REVUE SPIRITE, ano de 1860, págs. 317, 319 e 321; O EVANGELHO SEGUNDO O ESPIRITISMO, cap. III.

os órgãos do pensamento e do sentimento: é, ao mesmo tempo, interna e exterior, isto é, irradia de dentro para fora. Pode, até, isolar-se do corpo, transportar-se para longe e manifestar a sua presença. Provam-no as observações e os fenômenos do sonambulismo.

109. A alma é criada ao mesmo tempo que o corpo ou lhe é anterior?

— Depois da existência da alma esta constitui uma das mais importantes questões, por isso que de sua solução decorrem conseqüências de alta significação. É a única capaz de explicar um grande número de problemas até aqui insolúveis, por não o haverem analisado.

Uma de duas: ou existia a alma antes da formação do corpo, ou não existia. Não há meio termo.

Com a preexistência da alma tudo é explicado natural e logicamente. Sem a sua preexistência surgem dificuldades a cada passo: certos dogmas da Igreja ficam sem justificação. Isto tem conduzido à incredulidade muitos homens que pensam.

A questão foi resolvida afirmativamente pelos Espíritos; e os fatos, bem como a lógica, nenhuma dúvida deixam a respeito da preexistência. Admitida esta, ao menos como hipótese, a maior parte das dificuldades serão aplainadas.

110. Se a alma existisse antes da formação do corpo, tinha individualidade e consciência de si mesma?

— A não individualidade e a não consciência equivaleriam à não existência.

111. Antes de unir-se ao corpo a alma já havia realizado algum progresso ou se encontrava estacionária?

— O progresso anterior da alma tanto é demonstrado pela observação dos fatos quanto pelo ensino dos Espíritos.

112. Criou Deus as almas moral e intelectualmente iguais ou teria feito umas mais inteligentes e perfeitas do que outras?

— Se Deus as houvessem feito umas mais perfeitas do que as outras, tal preferência seria inconciliável com a sua justiça.

Todas são criaturas suas. Por que, então, isentaria estas do trabalho que àquelas impõem, a fim de alcançarem a felicidade eterna? A desigualdade original das almas seria a negação da justiça divina.

113. Se criadas iguais, como explicar a diversidade de aptidões das almas e as naturais predisposições que notamos entre os homens?

— Tal diversidade é resultante do progresso realizado pela alma antes de sua união com o corpo. As almas mais evoluídas em inteligência e em moralidade são as que viveram mais e progrediram antes da presente encarnação.

114. Qual o estado da alma originalmente?

— Elas são criadas simples e ignorantes, isto é, sem ciência e sem noção do bem e do mal, mas com igual aptidão para tudo. Inicialmente encontram-se numa espécie de infância, sem vontade própria e sem a perfeita consciência de sua existência. Pouco a pouco se vai desenvolvendo o seu livre-arbítrio, do mesmo passo que as suas idéias [20].

115. Esse progresso anterior foi feito como alma propriamente dita ou em precedente existência corpórea?

— O ensino dado pelos Espíritos a esse respeito, bem como o estudo dos diversos graus de adiantamento do homem na Terra provam que esse progresso anterior da alma deve ter sido realizado em diversas existências corpóreas, em número variável conforme o grau atingido. E a prova está na observação dos mesmos fatos que se acham, a cada passo, sob os nossos olhos [21].

O homem durante a vida terrena

116. Como e quando se realiza a união da alma com o corpo?

— Desde a concepção. Posto que ainda errante, o Espírito fica preso ao corpo, com o qual se deve unir, por meio de um cordão fluídico. Esse laço se estreita cada vez mais, à medida que se desenvolve o corpo. Desde aquele momento sente o Espírito uma perturbação crescente, até às proximidades do nascimento; neste momento ela é completa. Então o Espírito

---

[20] Vide O LIVRO DOS ESPÍRITOS, n.ºs 114 e segs.
[21] Vide O LIVRO DOS ESPÍRITOS, n.ºs 116 e 222, REVUE SPIRITE, ano de 1862, págs. 97 e 106.

perde a consciência e só gradativamente vai recobrando as idéias, a partir do momento em que a criança começa a respirar. Então a união é completa e definitiva.

117. Qual o estado intelectual da alma da criança ao nascer?

— Seu estado intelectual e moral é o que era antes de unir-se ao corpo. Por outras palavras, a alma possui todas as idéias adquiridas anteriormente; mas, por causa da perturbação, que acompanha a mudança de estado, suas idéias ficam momentaneamente em estado latente. Mas pouco a pouco vão se esclarecendo, posto que não se possam manifestar senão à medida do desenvolvimento dos órgãos.

118. Qual a origem das idéias inatas, das disposições precoces e da instintiva aptidão para uma arte ou para uma ciência, abstração feita da instrução?

— Só duas fontes podem ter as idéias inatas: a criação de umas almas mais perfeitas que outras, caso fossem criadas ao mesmo tempo que o corpo, ou o progresso por elas realizado antes de sua presente encarnação.

A primeira hipótese é incompatível com a justiça divina. Então, só a segunda hipótese resiste. As idéias inatas são resultantes dos conhecimentos adquiridos em existências anteriores e conservados sob forma de intuição, a fim de servirem como base para a aquisição de idéias novas.

119. Como podem revelar-se gênios nas camadas sociais privadas de toda cultura intelectual?

— Isto é uma prova de que as idéias inatas independem do meio em que o homem é educado. Ambiente e educação desenvolvem as idéias inatas, mas não as produzem. O homem de gênio é a encarnação de um Espírito adiantado e que já havia evoluído bastante. Pode a educação fornecer-lhe a instrução que lhe falta, mas não o gênio, caso este não exista.

120. Por que há crianças instintivamente boas, vivendo em meio perverso e apesar dos maus exemplos que recebem, enquanto que outras são instintivamente viciosas, posto que vivam em meio bom e recebam bons conselhos?

— É a conseqüência do progresso moral realizado, do mesmo modo que as idéias inatas o são do progresso intelectual.

121. Por que de dois filhos dos mesmos pais, educados em idênticas condições, um é inteligente e o outro estúpido? Um é bom e o outro é mau? Por que, às vezes, o filho de um homem de gênio é tolo, enquanto o filho de um tolo é um homem de gênio?

— Isto vem em apoio à origem das idéias inatas, além de provar que a alma dos filhos de modo algum procede da alma dos pais; ao contrário, em virtude do axioma de que a parte é da mesma natureza que o todo, os pais transmitiriam aos seus filhos as próprias qualidades e defeitos, como lhes transmitem o princípio das qualidades físicas. Na geração só o corpo procede do corpo. As almas são independentes umas das outras.

122. De onde vem o recíproco amor de pais e filhos, se as almas são independentes umas das outras?

— Os Espíritos se ligam por simpatia; o nascimento nesta ou naquela família não se dá por acaso: é o resultado de uma escolha às vezes feita pelo próprio Espírito, que vem unir-se àqueles a quem amou no plano espiritual ou em vidas anteriores.

Além do mais, a missão dos pais é ajudar o progresso dos Espíritos que encarnam como seus filhos. E, para os estimular, Deus lhes inspira uma recíproca afeição. Entretanto, muitos falham nessa missão, pelo que são punidos [22].

123. Por que há maus pais e maus filhos?

— São Espíritos que não se ligaram por simpatia na mesma família; ligaram-se com o fito de serviram de instrumento de provas recíprocas e, muitas vezes, para castigo daquilo que foram em vidas anteriores. A este é dado um mau filho, porque também foi mau filho; àquele um mau pai, pela mesma razão. Assim sofrem a pena de talião [23].

124. Por que se encontram pessoas de condição servil, com pendores de dignidade e de grandeza, enquanto que outras, nascidas nas classes altas, só apresentam sentimentos baixos?

— É uma reminiscência intuitiva da posição social que o Espírito teria ocupado, bem como do seu caráter na vida anterior.

---

[22] Vide O LIVRO DOS ESPÍRITOS, n.º 379 — *A infância*
[23] Vide REVUE SPIRITE, ano de 1861, pág. 270.

125. Qual será a causa das simpatias e das antipatias manifestas entre criaturas que se encontram pela primeira vez?

— Quase sempre são seres que se conhecem e que, por vezes, se amaram em vidas anteriores. Encontrando-se na presente existência sentem uma atração recíproca.

As antipatias instintivas podem originar-se de outra causa: o perispírito irradia em torno do corpo e forma uma espécie de atmosfera impregnada das qualidades boas ou más do Espírito; duas pessoas que se encontram, ao contacto desses fluidos experimentam a impressão da sensitiva; tal impressão pode ser agradável, como pode, ao contrário, ser desagradável; os fluidos tendem a confundir-se ou a se repelirem, conforme a natureza deles seja semelhante ou diferente.

Assim, também, pode explicar-se o fenômeno da transmissão do pensamento. Pelo contacto dos fluidos duas almas lêem, por assim dizer, uma na outra; adivinham-se e se compreendem sem se falarem.

126. Por que não conserva o homem a recordação das existências anteriores? Não seria isto necessário ao seu progresso ulterior?

— Posto que um véu encubra, em cada nova existência, a vida anterior do Espírito, não perde ele as suas aquisições, apenas esquece a maneira por que as fez. E se longos parecem os sofrimentos da vida, como não seriam piores se a eles se juntasse a lembrança dos sofrimentos passados?

127. Qual a origem desse sentimento chamado consciência?

— É uma recordação intuitiva do progresso realizado em existências anteriores, e, ainda, das resoluções tomadas pelo Espírito antes de encarnar-se, as quais, como homem, muitas vezes esquece.

128. O homem possui o livre-arbítrio ou é sujeito à fatalidade?

— Se ele fosse sujeito à fatalidade não teria responsabilidade pelo mal que espalha nem mérito pelo bem que pratica. Então, toda punição seria injusta e toda recompensa um contra-senso.

No homem o livre-arbítrio é uma conseqüência da justiça divina; é um atributo que o dignifica e o eleva acima dos outros seres. E isto é tão real que a estima dos homens, entre si, é baseada na admissão do livre-arbítrio. O homem que, por enfermidade, loucura, embriaguez ou idiotismo perde essa faculdade acidentalmente, ou é lamentado ou desprezado.

O materialista que subordina ao organismo todas as faculdades morais e intelectuais, reduz o homem à condição de autômato, sem livre-arbítrio e, conseqüentemente, sem responsabilidade do mal e sem mérito do bem que pratica [24].

129. É Deus o criador do mal?

— Deus não criou o mal: estabeleceu leis; estas são sempre boas, porque ele é soberanamente bom. Quem observa essas leis fielmente será perfeitamente feliz. Como têm o livre-arbítrio, nem sempre as criaturas as observam. É da inobservância daquelas leis que provém o mal.

130. Já nasce o homem bom ou mau?

— É mister distinguir, antes, entre o homem e a alma.

A alma é criada simples e ignorante, isto é, nem boa nem má; como, porém, goza do livre-arbítrio, é livre de seguir este ou aquele caminho, de observar ou de infringir as leis de Deus. O homem nasce bom ou mau, conforme seja a reencarnação de um Espírito adiantado ou atrasado.

131. Qual a origem do bem e do mal na Terra? Por que o mal predomina?

— A origem do mal na Terra está na imperfeição dos Espíritos que aí se encarnam. A predominância do mal provém da inferioridade do planeta, cujos habitantes são, em sua maioria, Espíritos inferiores ou de pouca evolução. Em mundos mais avançados, nos quais só se reencarnam Espíritos depurados, o mal se acha em minoria ou, até, nem aparece.

132. Qual a causa dos males que afligem a Humanidade?

— O nosso mundo pode ser considerado como uma escola para Espíritos pouco evoluídos e, ao mesmo tempo, um cárcere para criminosos. Os males de nossa Humanidade são consequentes da inferioridade moral da maior parte dos Espíritos que

---

[24] Vide REVUE SPIRITE, ano de 1861, pág. 76 — *La tête de Garibaldi;* idem, ano de 1862, pág. 97 — *Phrenologie espiritualiste et spirite.*

a constituem. Pelo contacto com os seus vícios, não apenas se infelicitam mutuamente— também se castigam uns aos outros.

133. Por que tão freqüentemente vemos a prosperidade dos maus, enquanto que o homem de bem sofre aflições?

— Para aquele cujo pensamento não ultrapassa os limites da vida presente, para aquele que acredita que esta seja a única, se afigura uma injustiça clamorosa. Já o mesmo não acontece com quem admita a pluralidade das existências e pense na brevidade de cada uma destas, em comparação com a eternidade.

Demonstra o estudo do Espiritismo que a prosperidade do mau terá horríveis conseqüências nas suas existências posteriores; que as aflições do homem de bem serão, ao contrário, seguidas de uma felicidade tanto maior e mais durável quanto maior tiver sido a resignação com que tiver sabido suportá-las: para ele não serão mais que um dia mau numa longa e próspera existência.

134. Por que alguns nascem na indigência e outros na opulência? Por que vemos tantas criaturas que nascem cegas, surdas, mudas, ou afetadas de doenças incuráveis, enquanto outras possuem todas as vantagens físicas? Será efeito do acaso ou de um ato da Providência?

— Se fosse apenas um produto do acaso, então a Providência teria deixado de existir. Entretanto, admitindo-se a Providência, pode perguntar-se: Como conciliar esses fatos com a sua bondade e a sua justiça? Muitos chegam a acusar a Deus pela falta de compreensão das causas de tais males.

Compreende-se que aquele que se torna infeliz ou enfermo por causa de suas imprudências e de seus abusos seja castigado naquilo em que pecou. Entretanto, se *a alma fosse criada ao mesmo tempo que o corpo*, que teria ela feito para merecer tamanhas aflições *desde o seu nascimento*, ou para ficar isenta das mesmas aflições?

Desde, porém, que se admita a justiça de Deus, não se pode deixar de admitir que essas coisas sejam efeito de uma causa. Se a causa não for encontrada na presente existência, deve encontrar-se numa existência anterior, porque em tudo a causa deve sempre preceder ao efeito. Assim, é necessário que a alma já tenha vivido, a fim de que possa merecer a expiação.

Efetivamente, mostram os estudos espíritas que muitos homens nascidos na miséria foram ricos e considerados numa existência anterior, que nesta fizeram mau uso da fortuna que Deus lhes havia encarregado de administrar. Também mostra que alguns, nascidos na abjeção, em vidas anteriores tinham sido orgulhosos e poderosos e haviam abusado do poder para oprimir os fracos. Muitas vezes esses estudos nos apresentam essas criaturas submetidas àqueles mesmos a quem haviam tratado duramente: então se acham entregues às humilhações e maus-tratos a que tinham submetido os outros.

Entretanto, nem sempre uma vida penosa significa uma expiação. Por vezes ela é escolhida pelo Espírito a fim de se adiantar mais rapidamente, por meio da coragem com que saiba suportá-la.

A riqueza também representa uma prova — e muito mais perigosa do que a miséria, dadas as tentações que ensancha e os abusos a que expõe. O exemplo dos que passaram por ela também demonstra que é uma prova na qual a vitória é mais difícil.

A diferença de posições sociais seria uma das maiores injustiças se não fosse uma conseqüência do comportamento anterior e se não comportasse uma possibilidade de compensação. A convicção dessa verdade, adquirida no Espiritismo, é que nos dá forças para suportarmos as vicissitudes da vida e, assim, para aceitarmos a nossa sem invejar a sorte dos demais.

135. Por que há idiotas e cretinos?

— A situação dos idiotas e dos cretinos também não se concilia com a justiça divina, desde que se admita a unicidade da existência.

Por mais miserável que seja a condição em que nasce uma criatura, dela pode sair pela inteligência e pelo trabalho. O idiota e o cretino, entretanto, desde o nascimento até à morte são votados ao embrutecimento e ao desprezo. E o são sem possibilidade de compensação.

Por que, então, sua alma foi criada idiota? Os estudos espíritas relativos à idiotia e à cretinice provam que essas almas são tão inteligentes como as das demais criaturas; sua inferioridade é uma expiação a que se submetem Espíritos que abusaram da inteligência. Sofrem cruelmente ao se sentirem presos por laços que não podem romper e, ainda, pelo desprezo de que se sentem objeto, pois que, possìvelmente, foram muito consideradas em existência anterior [25].

136. Qual o estado da alma durante o sono?

— Durante o sono só o corpo repousa; o Espírito não dorme. Provam as observações práticas que em tais condições goza o Espírito de toda a liberdade e da plenitude de suas faculdades; aproveita o repouso do corpo, os instantes em que o corpo dispensa a sua presença para agir independentemente e ir onde queira.

Durante a vida o Espírito está sempre preso ao corpo por um cordão fluídico, seja qual for a distância a que se transporte. O cordão serve para o chamar, desde que sua presença se torne necessária. Só a morte rompe esse laço.

137. Qual a causa dos sonhos?

— Os sonhos são o resultado da liberdade de que goza o Espírito durante o sono. Por vezes são recordações de lugares e de pessoas vistas ou visitadas pelo Espírito naquele estado [26].

138. O que são os pressentimentos?

— São lembranças vagas e intuitivas daquilo que o Espírito aprendeu em momentos de emancipação; por vezes são avisos ocultos dados por Espíritos bondosos.

139. Por que existem na Terra homens selvagens e homens civilizados?

— A questão seria insolúvel sem a preexistência da alma, a não ser que se admitisse que Deus tivesse criado almas selvagens e almas civilizadas. Isto, porém, seria a negação de sua justiça. Além do mais, a razão não pode admitir que, após a morte, a alma do selvagem fique eternamente naquele estado de inferioridade, nem que se encontre no mesmo grau de elevação que a alma do homem civilizado. Admitindo que todas

---

[25] Vide REVUE SPIRITE, ano de 1860, pág. 173 — *L'Eprit d'un idiot*. — Idem, ano de 1861, pág. 311 — *Les Crétins*.

[26] Vide O LIVRO DOS ESPÍRITOS: *Emancipação da alma*, n.os 400 a 454; O LIVRO DOS MÉDIUNS; Evolução de pessoas vivas, n.º 284; REVUE SPIRITE, ano de 1860, pág. 11; idem, pág. 81.

as almas tenham o mesmo ponto de partida — única doutrina compatível com a justiça divina — a presença simultânea da barbárie e da civilização na face da Terra é um fato material que prova os progressos realizados por uns e a realizar por outros.

Assim, a alma do selvagem atingirá, com o tempo, o mesmo grau que a alma esclarecida. Mas, como morrem selvagens diariamente, essas almas não podem atingir aquele grau senão em sucessivas reencarnações, cada vez mais aperfeiçoadas e adequadas ao seu progresso, percorrendo todos os degraus intermediários entre aqueles dois extremos.

140. Será impossível, conforme pensam alguns, que não se encarnando mais que uma vez, faça a alma o seu progresso no estado espiritual ou em outras esferas?

— Isto seria admissível se todos os habitantes da Terra se encontrassem no mesmo nível moral e intelectual. Neste caso poderia dizer-se que este mundo se achava afeiçoado para um determinado grau. Quantas vezes, porém, temos provas em contrário!

Realmente não é compreensível que não possa o selvagem civilizar-se aqui na Terra, desde que, ao lado dele, vemos encarnadas almas mais adiantadas. Disso resulta a possibilidade da pluralidade de existências terrestres, o que, aliás, é demonstrado pelos fatos que temos à vista. Se assim não fosse, seria necessário explicar-se : I — porque só a Terra teria o monopólio das encarnações; II — porque, com tal monopólio, nela se encontram encarnadas almas de todas as categorias.

141. Por que nas sociedades civilizadas se encontram seres de uma ferocidade só comparável à dos mais bárbaros selvagens?

— São Espíritos muito atrasados, vindos das raças bárbaras e encarnadas em meio que não lhes é próprio; aí se acham deslocados, assim como se acharia um matuto que de repente fosse colocado na alta sociedade.

OBSERVAÇÃO — Não se pode admitir que a alma do criminoso endurecido tenha, na existência atual, o mesmo ponto de partida que a de um homem eminentemente virtuoso. Isto fora negar a Deus os seus atributos de bondade e de justiça.

142. Como explicar o caráter distintivo dos povos?

— São Espíritos que possuem mais ou menos os mesmos gostos e inclinações e que se encarnam num meio simpático. Muitas vezes exatamente no meio onde podem satisfazer os seus pendores.

143. Como progridem os povos? Como degeneram?

— Se a alma fosse criada ao mesmo tempo que o corpo, as dos homens atuais seriam tão novas e primitivas quanto às dos homens da Idade Média. Então seria o caso de perguntar: Por que têm elas agora costumes mais brandos e inteligência mais desenvolvida? Se pela morte do corpo a alma deixasse definitivamente a Terra, poder-se-ia, também, perguntar: Qual o fruto do trabalho feito para o melhoramento de um povo, desde que ele tivesse de ser recomeçado com as almas novas, que chegam todos os dias?

Encontram-se os Espíritos num meio simpático e relacionado com o seu grau de adiantamento. Assim, um chinês que progrediu bastante e não mais encontra em sua raça um meio correspondente ao grau atingido, encarnar-se-á num povo mais evoluído.

À medida que uma geração avança um passo, atrai, por simpatia, Espíritos mais avançados. Estes talvez já tivessem vivido no mesmo país, dali se afastando em conseqüência de seu progresso pessoal. Assim, pouco a pouco, progride uma nação.

Se a maioria de seus novos habitantes fosse de natureza inferior; se os antigos diariamente emigrassem e não descessem a um meio inferior, o povo iria degenerando e, por fim, extinguir-se-ia.

OBSERVAÇÃO — Tais questões provocam outras tantas, cuja solução está no mesmo princípio. Por exemplo: Como se explica a diversidade de raças na Terra? Há raças infensas ao progresso? A raça negra é susceptível de atingir o nível das raças européias? A escravidão é útil às raças inferiores? Como se poderá realizar a transformação das humanidades?

---

27 Vide O LIVRO DOS ESPÍRITOS: *Lei do Progresso*, n.os 776 a 801; REVUE SPIRITE, ano de 1862, pág. 1: *Essai sur l'interprétation de la doctrine des anges déchus;* pág. 97: *Phrénologie espiritualiste et spirite.* — *Perfectibilité de la race nègre.*

144. Como se dá a separação entre alma e corpo? É brusca ou gradual?

— O desprendimento se realiza gradativamente e com velocidade variável, conforme os indivíduos e as circunstâncias da morte. Os laços que ligam a alma ao corpo não se desatam senão pouco a pouco e tanto menos rapidamente quanto mais material e sensual tiver sido a existência [28].

145. Em que situação fica a alma imediatamente após a morte do corpo? Tem consciência de si instantaneamente? Numa palavra: que vê? que experimenta?

— No momento da morte tudo se apresenta confuso: necessita ela de algum tempo para se reconhecer; encontra-se tonta como uma criatura que saísse de um sono profundo e procurasse compreender a situação. A clareza das idéias e a memória do passado lhe vão voltando à medida que desaparece a influência da matéria, da qual acaba de se separar e à medida que se dissipa a névoa que lhe obumbra os pensamentos.

Muito variável é o período de perturbação que se segue à morte: pode ser apenas de algumas horas, como de muitos dias, muitos meses e, até, de muitos anos. É menos longo naquele que em vida se identificam com o estado futuro, por isso que eles compreendem imediatamente a sua situação. É tanto mais longo quanto mais materialmente tiver vivido o homem.

Também muito variável é a sensação nesse momento experimentada pela alma. A perturbação que se segue à morte nada tem de penosa para o homem de bem: é calma e em tudo semelhante ao estado que acompanha um suave despertar.

Para a criatura cuja consciência não é pura, que amou mais a vida material que a espiritual, esse momento é cheio de angústias e de ansiedades, que crescem à medida que ela se reconhece. Então sente medo, uma espécie de terror diante daquilo que vê e, principalmente, diante daquilo que antevê.

A sensação, por assim dizer, física, é de um grande alívio, de um enorme bem-estar. Fica-se como que livre de um fardo

---

[28] Vide O LIVRO DOS ESPÍRITOS, n.º 155.

e o Espírito se sente feliz por não mais experimentar os padecimentos físicos que o atormentavam momentos antes; sente-se livre e desembaraçado, como se tivessem tirado as cadeias que o prendiam. Em sua nova situação a alma vê e ouve outras coisas que antes escapavam à grosseria de seus órgãos físicos. Tem, então, sensações e percepções que nos são desconhecidas [29].

OBSERVAÇÕES — Estas respostas, bem como as que se reportam à situação da alma após a morte ou durante a vida não são produto de uma teoria ou de um sistema, mas de estudos diretos feitos em milhares de criaturas, observados em todas as fases e períodos da vida espiritual, desde o mais baixo até o mais elevado degrau da escala, conforme os hábitos da vida terrena, o gênero de morte, etc.

Referindo-nos à vida futura freqüentemente dizemos que não se sabe o que nela se passa, desde que ninguém voltou para nô-lo dizer. É um erro, pois são exatamente os que nela se acham que nos vêm instruir sobre o assunto. E hoje, mais que em qualquer outra época, Deus o permite, como um último aviso à incredulidade e ao materialismo.

146. A alma que deixou o corpo pode ver a Deus?

— As faculdades de percepção da alma são proporcionais à sua pureza: só as eleitas podem gozar da presença de Deus.

147. Se Deus está em toda parte, por que os Espíritos não o podem ver?

— Deus está em toda parte porque em toda parte ele irradia. Pode dizer-se que o Universo está mergulhado na Divindade, como nós estamos na luz solar. Os Espíritos atrasados, entretanto, acham-se envoltos numa espécie de névoa, que o oculta aos seus olhos. Essa névoa só se dissipa à medida que eles se vão desmaterializando e purificando. Quanto à vista os Espíritos inferiores estão em relação a Deus assim como os encarnados em relação aos Espíritos — como verdadeiros cegos.

148. Após a morte a alma tem consciência de sua individualidade? Como a verifica? Como poderemos verificá-lo?

---

[29] Vide REVISTA ESPÍRITA, ano de 1859: *Morte de um Espírita*, pág. 244; Idem, ano de 1860; *Le reveil de l'Esprit*, pág. 323; Idem, ano de 1862, *Obsèques de M. Sanson*, pág. 129 e *Entretiens familiers d'outretombe*, pág. 171.

— Se, após a morte, as almas não conservassem a individualidade, tanto para elas como para nós seria o mesmo que não continuar a existir. Não teriam elas nenhum caráter distintivo; a alma do criminoso ficaria no mesmo nível que a do homem de bem. Como conseqüência nenhum interesse haveria em praticar-se o bem.

A individualidade da alma é demonstrada, por assim dizer, de um modo material, nas manifestações espíritas, através da linguagem e pelas próprias qualidades de cada uma, de vez que pensam e agem cada uma a seu modo; umas são boas, outras más; umas sábias, outras ignorantes; estas querem o que aquelas não querem. Tudo isto prova a evidência que não se acham elas confundidas num todo homogêneo. Nem é preciso falar das provas patentes, que elas nos trazem, de haverem animado este ou aquele indivíduo na Terra.

Graças ao Espiritismo a individualidade da alma deixou de ser uma coisa vaga, para ser o resultado da observação. A alma reconhece mesmo a sua individualidade, por isso que possui vontade e capacidade de pensar próprias e distintas. Essa individualidade é constatada por seu envoltório fluídico ou perispírito, espécie de corpo limitado, que a torna num ser distinto.

OBSERVAÇÃO — Pensam alguns que se subtraem à pecha de materialistas, pelo fato de admitirem um princípio universal inteligente, do qual ao nascer cada um absorve uma porção que constitui a alma e que, após a morte, volta ao reservatório comum, onde todas as almas se confundem, do mesmo modo que as gotas d'água no Oceano.

Este sistema, que é um meio termo, até nem merece o nome de espiritualista, porque é tão desesperador quanto o materialismo. O reservatório comum do todo universal seria o mesmo que o nada, de vez que nele não haveria individualidades.

149. Influi o gênero de morte sobre o estado da alma?

— O estado da alma é imensamente variável, conforme o gênero de morte; mas o é sobretudo conforme a natureza e os hábitos que se tinha durante a vida.

Quando a morte é natural, o desprendimento se opera gradativamente, sem choques e às vezes começa mesmo antes que a vida se extinga. Quando a morte é violenta, como nos casos de suplício, de suicídio ou de acidente, os laços se rompem bruscamente. Surpreendido, o Espírito como que fica tonto com a mudança operada e não pode compreender a sua situação.

Em tais casos um fenômeno mais ou menos constante é a convicção em que ele se acha de não estar morto. Essa ilusão pode durar meses, até anos.

Em tal estado ele vai para cá e para lá, pensando que se ocupa com seus negócios, como se ainda vivesse no mundo e fica admirado de lhe não responderem quando fala. Também se observa a mesma ilusão em casos outros que não de morte violenta, principalmente nos indivíduos cuja vida foi dedicada aos prazeres e aos interesses materiais [30].

150. Deixando o corpo, para onde vai a alma?

— Não se perde na vastidão infinita dos espaços, como em geral se pensa: vaga, geralmente entre aqueles que em vida conheceu, sobretudo entre os que amou. Mas pode instantaneamente transportar-se a grandes distâncias.

151. A alma conserva as afeições que tinha em vida?

— Guarda todas as afeições morais; só esquece as materiais, pois não mais são de sua essência. É por isso que tem satisfação em ver parentes e amigos e sente-se feliz em ser por eles lembrada [31].

152. A alma conserva a lembrança daquilo que fez na Terra? Continua interessada pelos trabalhos que não pôde concluir?

— Isto depende de sua elevação e da natureza daqueles trabalhos. Os Espíritos desmaterializados pouco se preocupam com as coisas do mundo material: sentem-se felizes por se acharem

---

[30] Vide O LIVRO DOS ESPÍRITOS, n.º 165; REVISTA ESPÍRITA, ano de 1858, pág. 172: *O Suicídio da Samaritana;* pág. 351: *Um Espírito nos funerais de seu corpo*; Idem, ano de 1859, pág. 319: *Um Espírito que não se julga morto;* Idem, ano de 1863, pág. 87: *François — Simon Louvet, du Havre.*

[31] Vide REVUE SPIRITE, ano de 1861, pág. 202: *"Les amis ne nous oublient pas dans l'autre monde";* Idem, ano de 1862, pág. 132, in fine e 133.

livres das mesmas. Relativamente aos trabalhos iniciados, procuram inspirar a outras pessoas o desejo de os concluir.

153. No mundo dos Espíritos a alma encontra parentes e amigos que a precederam?

— Não encontra apenas estes, como a muitos outros, conhecidos de existências anteriores. Em geral aqueles que a amam vêm recebê-la à entrada no mundo espiritual e ajudar o seu desprendimento dos laços terrenos. Contudo a impossibilidade de ver as almas mais queridas é uma punição para as que têm culpas.

154. Na outra vida qual é o estado intelectual e moral da criança morta em tenra idade? Suas faculdades permanecem infantis, como o eram em vida?

— O desenvolvimento incompleto dos órgãos da criança não permite ao Espírito plena liberdade de manifestação. Libertando-se do invólucro, suas faculdades são aquilo que eram antes de encarnar-se. Como o Espírito apenas passou alguns instantes no corpo, suas faculdades não sofreram modificações.

OBSERVAÇÃO — O Espírito de uma criança, dando uma comunicação espírita, pode falar como o de um adulto, porque pode ser um Espírito adiantado. Se, por vezes, emprega uma linguagem infantil, é para não tirar à sua mãe o encanto que está intimamente ligado à afeição de uma criatura frágil, delicada e ornada com as graças da inocência [32].

A resposta precedente pode ser dada à mesma pergunta, se formulada em relação ao estado da alma dos cretinos, dos idiotas e dos loucos.

155. Após a morte, qual a diferença entre a alma do sábio e a do ignorante, ou entre a do selvagem e a do homem civilizado?

— Pouco mais ou menos a mesma que entre elas existia durante a vida. A passagem para o mundo espiritual não dá à alma os conhecimentos que não tinha na Terra.

156. Após a morte as almas fazem progresso intelectual?

---

[32] Vide REVISTA ESPÍRITA, ano de 1858, pág. 16: *"Mãe, aqui estou!"*

— Fazem-nos mais ou menos, conforme a própria vontade. Algumas até fazem grandes progressos. Entretanto têm necessidade de pôr em prática, durante a existência corpórea, aquilo que aprenderam em conhecimento e em moralidade.

Aquelas que permanecem estacionárias recomeçam uma existência semelhante à que haviam deixado. As que progrediram fazem jus a uma encarnação de ordem mais elevada.

Como o progresso é proporcional à vontade dos Espíritos, muitos conservam, durante maior ou menor período, os gostos e as inclinações que tinham em vida, isto é, prosseguem nas mesmas idéias [33].

157. Na vida futura a sorte do homem está irremissivelmente fixada após a sua morte?

— A fixação irremissível da sorte do homem, após a sua morte, seria a absoluta negação da justiça e da bondade de Deus, por isso que muitos não puderam esclarecer-se bastante na vida terrena. Além disso, há que considerar os idiotas, os cretinos, os selvagens e o imenso número de crianças que morrem sem que hajam entrevisto a vida. Mesmo entre os homens esclarecidos, não há tantos que se julgam muito perfeitos e se consideram isentos do dever de estudar e trabalhar mais? Não será uma prova da bondade de Deus a sua permissão para que o homem faça amanhã aquilo que não lhe é possível fazer hoje?

Se a sorte fosse fixada irrevogavelmente, como explicar que os homens morrem em idades tão diversas? Por que, na sua justiça, não concede Deus a todos o tempo necessário para realizarem a maior soma de bem e repararem o mal que fizeram? Quem sabe se o criminoso, que morre aos trinta anos, não se teria transformado num homem de bem, se tivesse vivido até os sessenta? Por que lhe tira Deus os meios que aos outros concede?

---

[33] Vide REVISTA ESPÍRITA, ano de 1858, pág. 87: *A rainha de Ouda*; pág. 145: *O Espírito e os Herdeiros*; pág. 195: *O tambor de Beresine*. Idem, ano de 1859, pág. 344: *O antigo carreiro;* Idem, ano de 1860, pág. 325: *Progrès des Esprits;* Idem, ano de 1861, pág. 126; *Progrès d'un Esprit pervers.*

O caso da variedade de duração da vida e do estado moral da enorme maioria dos homens por si só constitui uma prova — desde que se admita a justiça divina — da impossibilidade de ser a sorte da alma irremissìvelmente fixada após a morte.

158. Na vida futura qual será a sorte das crianças mortas em tenra idade?

— Esta é uma das questões que melhor provam a justiça e a necessidade da pluralidade das existências.

Uma alma que viveu apenas alguns instantes, que não chegou a praticar o bem e nem o mal, não pode merecer prêmio nem castigo. De acordo com a máxima de Jesus Cristo — *cada um é punido ou premiado conforme as suas obras* — seria ilógico e contrário à justiça divina admitir-se que essa alma, que não trabalhou, fosse chamada a desfrutar a bem-aventurança dos anjos ou que, sem motivo, dela fosse privada. Entretanto deve ter uma sorte qualquer. Também seria injustiça se ficasse por toda a eternidade numa situação mista. Nenhuma conseqüência para a alma poderá ter uma experiência interrompida logo no começo. Conseqüentemente sua sorte atual foi merecida numa existência anterior, do mesmo modo que a sua sorte futura será a que tiver merecido em existências ulteriores.

159. As almas têm preocupações na outra vida? Pensam n'alguma coisa além de suas alegrias e seus sofrimentos?

— Se as almas apenas cuidassem de si durante a eternidade, seria egoísmo. Ora, se Deus condena essa falta na vida corpórea, não iria aprová-la na vida espiritual. As almas ou Espíritos têm ocupações relativas ao seu grau de progresso. Ao mesmo tempo procuram instruir-se e melhorar-se [34].

160. Em que consistem os sofrimentos da alma após a morte? As almas criminosas serão torturadas em chamas materiais?

— Hoje a Igreja reconhece prefeitamente que o fogo do inferno é moral e não material. Mas ela não explica a natureza dos sofrimentos.

Estes são postos aos nossos olhos pelas comunicações espíritas. Por esse meio podemos apreciá-los e nos convencermos

---

[34] Vide O LIVRO DOS ESPÍRITOS, n.º 558.

de que, posto não sejam esses sofrimentos o resultado de um fogo material, que, na verdade, não poderia queimar almas imateriais, nem por isso deixam de ser mais terríveis, aos menos em certos casos.

As penas não são uniformes: variam ao infinito, conforme a natureza e o grau das faltas cometidas; quase sempre as próprias faltas são o instrumento do castigo. Assim, certos assassinos se vêem obrigados a conservar-se no próprio local do crime e contemplar incessantemente as suas vítimas; o homem de gostos sensuais e materais conserva esses mesmos gostos, mas é torturado pela impossibilidade de os satisfazer; certos avarentos julgam sofrer o frio e a fome que suportaram durante a sua vida de avareza; outros se conservam junto aos seus tesouros enterrados, numa ânsia perpétua, temerosos de que lhos roubem. Numa palavra, não há um só defeito, uma só imperfeição moral ou uma única ação má que não tenha o seu reverso e as suas naturais conseqüências no mundo dos Espíritos. E para isso não é preciso um lugar circunscrito e determinado. Onde quer que se ache um Espírito perverso, com ele está o inferno.

Além das penas espirituais há penas e provas materiais, que o Espírito não depurado sofre, em nova encarnação, onde é posto em condições de sofrer aquilo que fez sofrer aos outros: ser humilhado, se tiver sido orgulhoso; miserável, se tiver sido mau rico; infeliz com os filhos, se tiver sido mau filho, etc.

Conforme já o dissemos, a Terra é um dos lugares de exílio e de expiação; é *um purgatório* para os Espíritos dessa natureza. Cada um poderá libertar-se se se melhorar suficientemente até merecer viver num mundo melhor [35].

---

[35] Vide O LIVRO DOS ESPÍRITOS, n.º 237: *Percepções, sensações e sofrimentos dos Espíritos;* Idem, livro Quarto, caps. I e II, *Esperanças e Consolações;* REVISTA ESPÍRITA, ano de 1858, pág. 80: *O assassino Lemaire;* pág. 172: *O suicídio da Samaritana;* pág. 357: *Sensações dos Espíritos;* Idem, ano de 1859, pág. 275: *Pai Crepin;* Idem, ano de 1860, pág. 61: *Estelle Riquier;* pág. 247: *Le suicidé de la rue Quincampoix;* pág. 316; *Le Châtiment;* pág. 383: *Entrée d'un coupable dans le monde des Esprits;* pág. 384: *Châtiment de l'égoiste;* Idem, ano de 1861, pág. 53: *Suicide d'un athée;* pág. 270: *La peine du talion.*

161. A prece será útil às almas sofredoras?

Os bons Espíritos a recomendam; os sofredores a suplicam, como meio de aliviar os seus padecimentos.

Experimenta a alma por quem se pede uma consolação, porque vê nisso uma demonstração de interesse. E o infeliz sente-se aliviado sempre que encontra criaturas que se compadecem de suas dores. Por outro lado a prece o estimula ao arrependimento e ao desejo de fazer aquilo que é necessário para ser feliz. É assim que suas penas podem ser aliviadas quando, por seu lado, coadjuva a ação por sua boa-vontade [36].

162. Em que consistem os gozos das almas felizes? Passam a eternidade em contemplação?

— Quer a justiça que a recompensa seja proporcional ao mérito, do mesmo que a punição proporcional à gravidade da falta. Assim, há infinitos graus nos gozos da alma, desde o instante em que entra na via do bem até o momento em que atinge a perfeição.

Consiste a felicidade dos bons Espíritos em conhecer todas as coisas, não sentir ódio, inveja, ciúmes, ambição ou qualquer das paixões que infelicitam os homens. Para os bons Espíritos, o amor que os une é fonte de suprema felicidade, pois não experimentam necessidades, nem sofrimentos, nem as angústias da vida material.

Um estado de terna contemplação seria uma felicidade estúpida e monótona; seria uma ventura de egoísta e uma existência perpetuamente inútil.

Ao contrário, a vida espiritual é uma incessante atividade pelas missões recebidas pelos Espíritos do Ser Supremo, como seus agentes, que são, no governo do Universo. Essas missões são proporcionadas ao adiantamento de cada um; seu desempe-

---

[36] Vide O LIVRO DOS ESPÍRITOS, n.º 664; REVISTA ESPÍRITA, ano de 1859, pág. 315: *Efeitos da prece sobre os Espíritos sofredores*.

nho os torna felizes, porque lhes oferece oportunidade de serem úteis e de fazer o bem [37].

OBSERVAÇÃO — Os adversários do Espiritismo e os que não aceitam a reencarnação se acham convidados a dar aos problemas acima uma solução mais lógica, baseada noutro princípio que não seja o da pluralidade das existências.

---

[37] Vide O LIVRO DOS ESPÍRITOS, n.º 558: *Ocupações e Missões dos Espíritos;* REVUE SPIRITE, ano de 1860, págs. 320 a 321: *Les purs Esprits e Séjour des bienheureux;* Idem, ano de 1861, pág. 179: *Madame Gourdon.*

Leia também:

HISTÓRIA DO ESPIRITISMO

Ocorreu, por volta de 1787, um caso que deixou o mundo perplexo: a mediunidade de Swedenborg. Desde então, o Espiritismo vem, através de lutas e vitórias, desenvolvendo-se assustadoramente num movimento considerado importante na história do mundo. É desnecessário apresentar Conan Doyle ao público ledor brasileiro, sobejamente conhecedor de seus romances policiais, traduzidos nos mais diversos idiomas. Bastaria, para justificar este oportuno lançamento da Editora Pensamento, o fato de Sir Arthur Conan Doyle ter sido Presidente de Honra da Federação Espírita Internacional, Presidente da Aliança Espírita de Londres e Presidente do Colégio Britânico de Ciências Psíquicas.

Espíritas ou não, todos lerão este livro, uns em busca de ensinamentos para sua doutrina, outros ávidos de conhecimentos. O estudo é meticuloso: Conan Doyle rebuscou fatos e episódios sensacionais para encaixá-los nesta obra. As narrativas serenas que nos apresenta são o atestado incontestável do seu talento de historiador; embora seja adepto da doutrina, não hesita em fazer crítica construtiva quando necessário. A seqüência magnífica e bem concatenada dos capítulos: A História do Espiritismo – A História de Swedenborg – A Carreira das Irmãs Fox – Ectoplasma – As Pesquisas de Sir William Crookes – A Carreira de Eusapia Palladino – Grandes Médiuns de 1870 a 1900: Charles H. Foster, Mme. d'Esperance, William Eglinton, Stainton Moses – A Sociedade de Pesquisas Psíquicas – Investigações Coletivas Sobre o Espiritismo – foi enriquecida, nesta obra, com fotografias dos mais célebres médiuns e adeptos da doutrina.

O lançamento desta obra pela Editora Pensamento, constitui magnífica oportunidade de enriquecimento para a Biblioteca Espírita do país, oportunidade aguardada ansiosamente pelos estudiosos e praticantes desta maravilhosa doutrina cristã.

EDITORA PENSAMENTO

ESPIRITISMO PARA JOVENS

Eliseu Rigonatti

Lançado originalmente em dois volumes (*O Evangelho da Meninada* e *O Livro dos Espíritos para a Juventude*), nesta edição revista e com novo projeto gráfico, Eliseu Rigonatti apresenta de forma leve, como numa sessão de contação de histórias, as bases do Espiritismo para o leitor jovem ou iniciante: os quatro evangelhos, de Mateus, Marcos, Lucas e João; e uma versão adaptada e anotada do tradicional *O Livro dos Espíritos*, de Allan Kardec.

Na primeira parte da obra, os Evangelhos são apresentados numa versão do autor, porém integral, em que, segundo o próprio autor, "retirei apenas a repetição dos fatos que lhes são comuns, e tornei sua linguagem [mais] corrente". Na segunda parte, Rigonatti reconta em 44 lições a obra máxima de Allan Kardec, numa linguagem descomplicada para o leitor jovem, revelando importantes passagens sobre ética e moral dentro da Doutrina, sem deixar de lado a parte evangélica do livro. Em suas palavras "sem que o leitor perceba, o ensinamento evangélico está disseminado por todos os seus capítulos, porque um dos pilares fundamentais do Espiritismo é o Evangelho de Jesus. Não se concebe Espiritismo sem [as lições do] Evangelho; e, neste modesto livro, transbordam, sob variadas formas, as palavras do Mestre".

EDITORA PENSAMENTO

ESPIRITISMO SEM MISTÉRIOS

Eliseu Rigonatti

Lançado originalmente em dois volumes (*52 Lições de Catecismo Espírita* e *Os Meus Deveres*), este clássico da literatura espírita doutrinária aborda os temas essenciais dos ensinamentos de Allan Kardec, numa linguagem simples e direta, voltada para jovens e iniciantes nos estudos sobre o Espiritismo. Dividida em 82 lições, a obra contém informações essenciais, apresentando ao leitor questões simples, porém fundamentais para a compreensão da Doutrina, entre elas:

- A importância de estudar os Evangelhos
- A caridade na Doutrina
- A imortalidade da alma e a reencarnação
- A importância de perdoar a si mesmo e os outros
- Como conversar com o nosso anjo da guarda
- Os diversos mundos professados pela Doutrina
- As provas da vida como forma de evolução do espírito
- A moral cristã dentro do Espiritismo
- Karma e livre-arbítrio
- Pontos principais do Cristianismo, da Doutrina espírita.

Rigonatti também apresenta ao leitor os deveres do seguidor do Espiritismo para com Deus, a família e sua pátria, mostrando como ele deve agir para ser fiel aos ensinamentos de Allan Kardec e avançar em seu caminho evolutivo. Uma obra imprescindível para professores de catecismo espírita e pessoas que estão se iniciando na Doutrina.

EDITORA PENSAMENTO

O EVANGELHO DOS HUMILDES

Eliseu Rigonatti

Nesta nova edição de *O Evangelho dos Humildes* (que reúne duas obras: *O Evangelho dos Humildes e O Evangelho da Mediunidade*), Eliseu Rigonatti brinda o leitor com sua escrita clara, precisa e direta sobre dois importantes textos do Novo Testamento, explicados à luz do Espiritismo. O mérito desta obra está em reunir os maiores ensinamentos dessa doutrina e com eles comentar, analisar e colocar ao alcance dos leitores comuns cada um dos versículos do *Evangelho Segundo São Mateus*, seguido de um estudo complementar do livro *Atos dos Apóstolos*, aqui comentado em sua totalidade, revelando a sua força de persuasão e de renúncia com relação à vida focada somente no material. O próprio Allan Kardec renunciou até quase ao próprio nome, a postos oficiais no magistério francês, ao sossego familiar, ao cuidado com a saúde, às vantagens financeiras, e com sua renúncia a tudo isso, codificou a Doutrina Espírita. Autor de obras importantes e bem fundamentadas sobre o Espiritismo, Rigonatti dedica este livro àqueles que não encontram justiça na Terra, ensinando que não foram esquecidos. Ao saber usar a força do Amor, um novo mundo estará ao alcance de todos.

EDITORA PENSAMENTO

Impresso por :

Graphium
gráfica e editora

Tel.:11 2769-9056